Rating

Alberto Barrera Tyszka

Rating

EDITORIAL ANAGRAMA
BARCELONA

GIROL SPANISH BOOKS
P.O. Box 5473 Stn. F
Ottawa, ON K2C 3M1
T/F 613-233-9044 www.girol.com

Diseño de la colección: Julio Vivas y Estudio A
Ilustración: Lucía Vera

Primera edición: noviembre 2011

Pedró de la Creu, 58
08034 Barcelona

ISBN: 978-84-339-7234-7
Depósito Legal: B. 32984-2011

Printed in Spain

Reinbook Imprès, sl, Múrcia, 36
08830 Sant Boi de Llobregat

Para Cristina

1

No es fácil tener un jefe. No se lo recomiendo a nadie. ¿Qué hace un jefe? Te jode la vida. Te controla, te utiliza, se aprovecha de ti. Mi jefe se llama Rafael Quevedo. Es el vicepresidente de Proyectos Especiales del canal 6. Yo soy su asistente.

Supuestamente, él me está haciendo un favor, un graaaaaan favor, como dice mi mamá. Porque cada vez que puede, mi vieja me lo recuerda y lo hace así, siempre así, estirando la a, como para que yo nunca olvide el tamaño inmenso del inmenso gran favor que me está haciendo mi jefe. Fue ella la que llamó una tarde a Rafael Quevedo y le pidió, le rogó más bien, le suplicó, que me diera un trabajo en el canal. Por favor, Rafael, seguro le dijo. Te juro que si no fuera tan importante no me hubiera atrevido a molestarte. Ayúdame con esto. Algo así debió decir. Así hablan todas las madres. Y, entonces, Rafael Quevedo, para ayudar a mi mamá, me metió en el canal.

Así que tú eres Pablito, me dijo la mañana que me presenté en su oficina.

Fue un mal comienzo: detesto que me llamen Pablito.

En realidad, detesto los diminutivos. Pero no puedo escapar de ellos. Me persiguen. Son como un virus, como una enfermedad. Y los latinoamericanos estamos muy contagiados. No entiendo por qué. Quizás pensamos que el empequeñecimiento es una forma de ternura. A mí me parece tan cursi. Pero igual no puedo evitarlo. Aunque esté pendiente, aunque trate de eludirlos, termino utilizándolos. A veces siento que estoy cercado, rodeado de diminutivos. Para nosotros, todo siempre puede ser más *ito* o más *ita*. Es algo que puede aplicarse a cualquier persona, a cualquier situación, a cualquier palabra. Cariñito, malita, poquito, patadita, machito, peleíta... Una prima de mi madre habla así todo el tiempo. Puede entrar al apartamento y decirme: Pablito, dejé los cigarritos en el carro. No seas flojito, anda, ¿por qué no haces un esfuercito y me los traes? Tampoco me pongas esa carita. Es sólo un momentico. Ve rapidito, pues. Por favorcito.

Es en serio. Así habla. No exagero. Su récord es decir mi amorcitico. ¿Acaso eso se puede traducir a alguna otra lengua? Es un diminutivo al cuadrado. Un exceso de un exceso. Cuando la escucho, quisiera que los oídos también tuvieran párpados. Eso sería ideal. Andar por la vida pudiendo cerrar las orejas.

Nada de esto, por supuesto, le importa a mi jefe. Él no piensa en estas cosas. Me dijo Pablito y ya, me quedé Pablito. Esa mañana, a sus sesenta y tantos años, estaba vestido con un traje azul y con una corbata juvenil, de fondo amarillo, llena de bacterias rojas. Yo, obligado por mi madre, tuve que ponerme un pantalón elegante y una camisa gris, una pinta que me queda malísima y me hace ver como el tío Antonio, que es una mezcla de visitador médico con pastor adventista, algo horrible. El señor Quevedo me invitó a sentarme y me senté. La verdad, me sentía intimidado, no sabía muy bien cómo comportarme.

Tu mamá está preocupada por ti, dijo el señor Quevedo, mirándome con una rara sonrisa en los labios. Me pareció que secretamente le divertía mi situación. Estudias Letras, ¿no?, preguntó. Eso me dijo tu madre. Yo contesté que sí. Con cierta vergüenza. No sé por qué. No debería, pero fue así: sentí vergüenza. En la universidad, añadí, intentando que mi respuesta sonara mejor, más digna. El señor Quevedo sólo soltó una carcajada. Pero no son letras de cambio, ¿verdad?, exclamó, como si le sorprendiera de pronto ese juego de palabras, el chiste que se le acababa de ocurrir.

No, no. Es literatura, le dije.

Me aclaró entonces que estaba bromeando. Era obvio que habría deseado que yo también me hubiera reído, que le celebrara el comentario. Pero no. Seguí ahí, con mi cara seria. Luego quiso saber qué futuro podía tener cuando me graduara. ¿Qué se hace después de que uno estudia Letras?, me preguntó, con cierto tono de ironía. Le dije la verdad: no mucho. ¿Y tú?, ya me pareció un interrogatorio, ¿tú qué quieres hacer? También le dije la verdad: no lo sé ¿Tú escribes? Dije que sí, pero moviendo la cabeza. Nada más. ¿Y qué escribes? Poemas. El señor Quevedo pareció sorprenderse. Me miró de otra manera. Yo sentí que tenía una frase burlona atajada dentro de su boca, que la retenía ahí, que no la dejaba salir. Apenas insinuó una sonrisa burlona. Después, suspiró hondamente, como si estuviera actuando, un poco teatral: supongo que sabes que yo fui muy amigo de tu padre, dijo. Con el tiempo he descubierto que esa frase suele ser fatal. Siempre me mete en problemas. Todo aquel que conoció o quiso mucho a mi papá, se siente responsable de mí y, por lo general, termina fastidiándome. Lo mismo le pasa al señor Quevedo. Él había querido mucho a Pablo Manzanares y, en honor a esa amistad entrañable, lo mínimo que podía hacer en un momento así era echarle una mano a su único hijo.

Por eso te estoy haciendo este favor, concluyó.

Y por eso estoy aquí, en el canal, concluyo yo ahora. Desde esa mañana, ya llevo casi seis meses viviendo este graaaaaan favor. No es fácil, además, porque para mucha gente sólo se trata de una beca, de un gesto de caridad que tiene el señor Quevedo con el hijo del loco Manzanares. Una vez escuché a unas secretarias hablando de mí como el asistonto de Rafael Quevedo. Me metí en la primera oficina que encontré vacía y redacté una indignada carta de renuncia, definitiva e irrevocable. Luego fui y se la di al señor Quevedo. Todavía estaba temblando de la rabia. Yo soy muy orgulloso, por eso mismo, obviamente, tampoco mencioné en la carta lo sucedido. Sólo escribí que le agradecía mucho su generosidad, el apoyo que pretendía brindarle a mi madre y blablablá, pero que no me sentía a gusto, que no entendía bien el trabajo que me tenía asignado, que más bien a veces ni siquiera parecía un trabajo, que. Mi jefe leyó la carta con los ojos. ¿Condescendencia no se escribe con zeta?, preguntó en un momento sin levantar las pupilas del papel.

Cuando terminó de leer se quedó en silencio por un segundo y después desplegó una amplia sonrisa. Me miró. Estiró la carta hacia mí y susurró: no seas pendejo, Pablito.

Mi madre no lo hubiera comprendido, habría dicho que busqué cualquier excusa para abandonar el trabajo, mi primer trabajo. Pero hasta ahora, en realidad, es muy poco lo que hago. Casi siempre estoy esperando que mi jefe me dé una instrucción, que me ponga una agenda. Él me asignó una pequeña oficina, más bien es un cubículo con una computadora, donde a veces navego o escribo algún trabajo de la universidad.

Este semestre estoy cursando teoría literaria. Es obligatorio y me aburre demasiado. Emiliana no se inscribió en esa materia. Eso lo cambia todo. Casi siempre coincidimos, pero esta vez ella se inscribió en otro curso. Eso hace que las clases sean todavía peores, más largas, fastidiosas. Si al menos la profesora estuviera buena, podría distraerme un poco. Pero la profesora Guevara es una mujer antisexo. La he detallado muy bien. Casi no tiene formas. Es delgada. Tan delgada que no hay nada más. Sólo las líneas rectas, cayendo. Se viste además de manera muy rara, con unas faldas amplias; con camisas de manga larga, sin escote. No parece que viviera en un país tropical. Tampoco la voz le ayuda. Porque en cualquier voz hay sexo, mucho sexo. En cualquier voz menos en la de ella. La profesora Guevara tiene un tono alto y estirado, como si una de sus cuerdas vocales estuviera siempre a punto de romperse. Randy y yo cursamos juntos esa materia. Somos amigos desde el primer día de clases. Randy dice que, detrás de toda esa apariencia formal e insípida de la profesora, quizás se esconde una diabla. Ésa es su fantasía. Randy imagina a la profesora Guevara llegando a su casa y quitándose el disfraz de profesora Guevara y dejando aparecer, entonces, a esa otra mujer que lleva adentro, a la mujer que Randy desea, una mujer sorprendente, con muchas curvas y un liguero negro, ansiosa, salvaje. En alguna oportunidad, en el aula de clases, he descubierto a Randy observarla con una extraña sonrisa. Como si la profesora Guevara fuera en realidad una actriz porno, obligada a seguir momentáneamente el libreto de profesora de teoría literaria en la Escuela de Letras.

Randy también escribe poesía. Igual que yo, igual que Emiliana. Los tres comenzamos juntos en la escuela. Los tres estamos en el taller que dirige Francisco Pimentel. Nos reunimos una noche a la semana, en la biblioteca de la Escuela. Somos siete. Cada quien va leyendo sus poemas, luego todos los comentamos. Al final, el profesor Pimentel trata de redondear lo que ha pasado en la sesión y da unas conclusiones. Randy piensa que yo estoy ahí, fundamentalmente, por Emiliana. Tiene y no tiene razón. Estoy en el taller porque escribo poesía y quiero aprender. Pero quizás eso no es suficiente. Quizás si Emiliana no se hubiera metido en el taller yo tampoco lo habría hecho. No sirve de mucho porque igual ella no se fija en mí, me sigue viendo como a un compañero de clases, como a un amigo. Pero al menos estoy cerca, me siento cerca, un poco más cerca.

Después de la reunión de programación, a las once y media de la mañana, mi jefe me mandó a llamar. Estela, su secretaria, no tenía buena cara. Prepárate, me advirtió cuando abrió la puerta de la oficina: tiene una idea. Ésa es una de las cosas que he aprendido en estos meses: una de las grandes tragedias de la industria de la televisión son las ideas. Porque todo el mundo tiene ideas. Los dueños del canal, los presidentes corporativos, los hijos de los dueños del canal, los gerentes, los directores de áreas, los sobrinos de los dueños del canal, los ejecutivos de cuentas, los administradores, los primos de los dueños del canal, los actores, los luminitos, los continuistas y los maquilladores, las secretarias y los encargados de la seguridad, las empleadas de la limpieza, los cuñados de los dueños del canal y, por supuesto, los vicepresidentes de Proyectos Especiales también tienen ideas.

¿Qué significa tener una idea en televisión? Eso es lo peor: una idea puede ser cualquier cosa, puede ser un pálpito, una intuición, una estupidez; una idea puede ser todo o nada. Por lo general, es nada. En el poco tiempo que llevo aquí, ya me he tropezado con muchas ideas. Tuve que leer y redactar un informe sobre el proyecto de un viejo libretista que tiene la idea de escribir una telenovela de intriga religiosa. Dice que la audiencia está en una *búsqueda espiritual*. La sinopsis me pareció horrible. Es una historia de amor entre una monja carmelita y un peregrino musulmán. *Dos corazones y un solo cielo*, así se llama. A mí me pareció una porquería.

En otra ocasión, el señor Quevedo me mandó a reunirme con la directora del departamento de mercadeo que también tenía una idea. Había diseñado un programa de concursos para amas de casas. El certamen estaba centrado en las tareas domésticas, pero con una variable diferente: los animadores serían niños menores de diez años. Mi jefe casi lloró de la risa cuando le conté esa idea. Pero igual levantó el teléfono y habló con la directora del departamento de mercadeo, la felicitó, seriamente, fingió gran entusiasmo, le aseguró que la idea era excelente, que de inmediato estaba pasándosela al Comité de Programación y que. Colgó y echó el proyecto en la basura. ¿Qué otra cosa tenemos pendiente para hoy?, me preguntó.

¿Es posible saber cuándo una idea es buena o mala? ¿Es posible, acaso, saber si una idea puede ser un fracaso total o un éxito tremendo? No. No hay método. Nadie tiene la receta. Nadie puede saberlo aunque todo el mundo actúa como si lo supiera. Ésa es otra de las leyes secretas de la producción televisiva. Esta industria es genéticamente mentirosa. Aquí, todo el mundo miente de manera compulsiva. A toda hora y de cualquier forma. En el fondo, a veces siento que hay más ficción de este lado de la pantalla, en el interior de la industria, que en todos los programas que salen al aire. No hay forma de sobrevivir dentro del canal sin engañar a los demás.

La pantalla está congelada, dijo el señor Quevedo. Todo el mundo está esperando que hagamos algo, ¿entiendes? Le dije que sí, asintiendo levemente con la cabeza. Pero en realidad no entendía demasiado. Por suerte, él se explayó: la competencia nos tiene fritos desde hace dos meses. Nos traen vueltos pomada. No levantamos el *rating* con nada. Necesitamos sacudir el canal. Necesitamos un producto que sea un palazo, que obligue a la audiencia a voltear hacia nosotros.

Dio unos pasos, movió la mano en el aire. Ya nos llegó la hora. Hablaba como si estuviera solo. Para eso está la vicepresidencia de Proyectos Especiales. Pero de vez en cuando me miraba. Ésa fue la conclusión del Comité. Se paró en seco. Quieren que inventemos un milagro. Volvió a mirarme.

Sentí que mi deber era decir algo, decir una frase pequeñita, aunque fuera, para demostrar que estaba siguiendo de cerca su monólogo. Pero no se me ocurría nada. Él alzó la mano, como queriendo tranquilizarme. Estaba eléctrico. Hablaba de manera muy directa, sin gastar demasiadas palabras.

Menos mal que a mí se me ocurrió una idea, dijo.

El silencio fue como un latigazo. Cayó así, de pronto, entre nosotros. Yo seguía sin saber qué decir. Por suerte, el señor Quevedo tampoco estaba pendiente de escucharme. Me contó su idea. Tal cual se la acababa de contar al Comité. Yo desde hace tiempo venía pensando en algo así, venía dándole vueltas en la cabeza a un proyecto así. Hoy me tocó soltarlo. Pero los dejé paralizados. Se quedaron boquiabiertos. Hasta el hijo de puta de Fernández se quedó callado.

Ésta es la idea de mi jefe: un *reality show* con indigentes. Buscar cinco o seis o siete mendigos, loquitos de la calle, recogelatas; un grupo de esos pordioseros, enajenados, que andan sucios, deambulando sin brújula por toda la ciudad, y meterlos en una casa para filmarlos durante un mes, las veinticuatro horas del día. ¿Qué te parece? ¿No es una idea genial?

Mi cara debió parecerle un dibujo indescifrable. La idea me resultaba horrible, desagradable, cruel.

Vamos a filmar todo. Lo que hacen, cómo comen, qué dicen, cómo se relacionan entre ellos. En el mismo formato que se ha usado con actores, con jóvenes que quieren ser cantantes famosos, con estrellas del deporte... ¡pero ahora lo vamos a hacer con la gente que está jodida de verdad, con gente real, de carne y hueso, tan de carne y hueso que ni siquiera tienen casa, que no tienen nada, que viven en la calle! ¿Qué tal? ¡Indigentes, Pablito! ¡Vamos a poner la verdadera vida real en la pantalla!

¿Y la gente va a querer ver eso?, me atreví a preguntar, bajito, como dudándolo, arrastrando con cierta pena la pregunta.

El señor Quevedo me contestó eufórico, muy seguro de sí mismo: ¡por supuesto! ¡El público va a enloquecer! Mi cara seguía siendo un crucigrama en chino. No entendía cómo eso podía ser un programa de televisión. Todo me parecía una locura.

Obviamente, nosotros vamos a *intervenir* lo que suceda en el programa, me dijo entonces con cierta ironía. En la televisión, la realidad también es un espectáculo, Pablito. Aquí, hasta un incendio necesita un guión.

Ésta es la definición de *intervenir* que aparece en el diccionario de la Real Academia de la Lengua Española:

(Del lat. *intervenīre*).

1. tr. Examinar y censurar las cuentas con autoridad suficiente para ello.

2. tr. Controlar o disponer de una cuenta bancaria por mandato o autorización legal.

3. tr. Dicho de una tercera persona: Ofrecer, aceptar o pagar por cuenta del librador o de quien efectúa una transmisión por endoso.

4. tr. Dicho de una autoridad: Dirigir, limitar o suspender el libre ejercicio de actividades o funciones. *El Estado de tal país interviene la economía privada o la producción industrial.*

5. tr. Espiar, por mandato o autorización legal, una comunicación privada. *La Policía intervino los teléfonos. La correspondencia está intervenida.*

6. tr. Fiscalizar la administración de una aduana.

7. tr. Dicho del Gobierno de un país de régimen federal: Ejercer funciones propias de los Estados o provincias.

8. tr. Dicho de una o de varias potencias: En las relaciones internacionales, dirigir temporalmente algunos asuntos interiores de otra.

9. tr. *Med.* Hacer una operación quirúrgica.

10. intr. Tomar parte en un asunto.

11. intr. Dicho de una persona: Interponer su autoridad.

12. intr. Interceder o mediar por alguien.

13. intr. Interponerse entre dos o más que riñen.

14. intr. Sobrevenir, ocurrir, acontecer.

Ninguno de estos conceptos se ajustaba demasiado cómodamente a lo que quería decir mi jefe. Él tenía en la cabeza otra palabra. La televisión funciona con otro diccionario. Estamos hablando de un acto creativo, Pablito. Los indigentes ponen la materia prima y nosotros le vamos a ir dando forma. Eso también me dijo. Tendremos que meterle un poco de libreto, cambiar algunos de los testimonios, quizás hasta haga falta que filtremos alguna actriz desconocida entre ellos, para envenenar un poco más el programa. Tenemos que convertir la mierda de esa gente en una historia de amor, en un relato de éxito, ¿entiendes?

El señor Quevedo estaba excitado, fascinado con lo que oía, con su propia voz y con su propia idea. Yo lo que no entendía era cómo íbamos a lograr todo aquello. El señor Quevedo llamó a Estela y le pidió hielo. De un estante lateral sacó dos vasos y una botella de whisky. No dejaba de hablar: necesitamos hacer un buen *casting*, buscar en todos lados. En las calles, en las cunetas, debajo de los puentes. Tenemos que asesorarnos con el departamento legal, cuidar las formas, no nos vayan a joder ahora con esa moda de los derechos humanos. Tampoco queremos que nos demanden. Aunque no creo que haya problema. La izquierda también está de moda. Esto podría ser un programa muy revolucionario, ¿no? Iba y venía, soltando palabras, gesticulando, entusiasmado. Hay que hacer un buen *casting*, sí. Necesitamos hombres y mujeres de diferentes edades. Necesitamos historias fuertes entre ellos: amor, violencia, sexo. No los vamos a juntar para enseñarlos a leer y a escribir, para que canten el himno nacional y se conviertan en buenos ciudadanos. Eso no le interesa a nadie. Si los carajos no se pelean o no se enamoran, si no se hacen daño o no cogen, la audiencia no va a voltear a vernos. Ése es el reto. Que nos miren y que ya no puedan despegarse de nuestra pantalla. Que se queden con nosotros. Ése es nuestro objetivo.

Mi jefe tiene una idea: si las telenovelas se promocionan como historias sacadas de la vida misma, nosotros vamos a ir más allá; nosotros vamos a llevar la televisión a la verdadera y real vida misma.

Todos en el canal están buscando un milagro. Mi jefe cree que ese milagro son los indigentes.

Ahora sí, Pablito, me dijo. Por fin te llegó tu gran oportunidad.

2

El día que cumplí cincuenta años amanecí pesando tres kilos de más. Me desperté muy temprano, como todas las mañanas, fui caminando al baño, me subí en la báscula y me sorprendí: tres kilos más que el día anterior, tres kilos más que mi peso natural durante toda la última década. No había comido nada especial. No me había excedido de ninguna manera. Me miré en el espejo y tampoco noté ningún cambio particular. Mi figura estaba igual. No tengo una contextura atlética pero tampoco soy un hombre obeso, fofo, a quien le sobran lonjas de carne por todos lados. Visto de perfil ni siquiera entro en la humillante categoría de gordito. Sé que estoy cerca, pero todavía no califico. Por eso me cuido. Por eso cada mañana, incluso antes de cepillarme los dientes, me pongo de pie sobre el altar del peso y leo con los ojos su sentencia.

Le cambié las baterías a la báscula: lo mismo. Los tres kilos de más seguían ahí. Con algunas cosas suelo ser obsesivo: salí a buscar una farmacia que tuviera otra báscula donde pudiera pesarme. Deduje que la mía se había dañado. Era imposible que, de un día para otro y sin ninguna causa, mi peso hubiera aumentado de esa manera.

Pero no hubo variaciones. El exceso se mantuvo: tres kilos más. Exacto. Pasé todo el día desconcertado, tratando de analizar sesudamente lo que ocurría. Al final de la tarde, las teorías se ablandaron, dándole oportunidad al misterio de las intuiciones. Tuve un pálpito. Tenía cincuenta años y ya por fin había llegado. Ése era el límite. Había cruzado la raya. Ni modo, finalmente se había instalado dentro de mí. Ya la muerte se había mudado a vivir conmigo.

Desde esa mañana no hago más que pensar en eso. Siento que está aquí, dentro de mí, acompañándome. Es una presencia demasiado tangible. Puedo sentirla respirar en mi interior. Sé que puede sonar oscuro, incluso siniestro, pero es la verdad. Está aquí, ahora mismo, leyendo lo que escribo. O peor: está aquí, escribiendo conmigo.

No puedo evitarlo, no sé cómo hacerlo. Con demasiada frecuencia, durante todo el día, pienso en ella, la recuerdo. Supongo que, durante la noche, también estoy secuestrado por la misma tarea. Por suerte, nunca recuerdo mis sueños. Pero a veces me levanto con una fatiga interior que ni siquiera se alivia bajo el agua fría de la ducha. Es una desazón muy íntima, proviene de mi propia naturaleza. Siempre despierta un poco antes que el resto de mi cuerpo. La tristeza es mi músculo más rápido.

Nunca antes había tenido tanta conciencia de mi propia vulnerabilidad. Los cumpleaños deberían estar prohibidos. Cualquier tipo de aniversario debería estar prohibido. Contar el tiempo es un acto perverso. Nunca antes me había pasado algo así. Miento. Dos años antes de cumplir cincuenta ocurrió algo similar, que también me removió, que ya a estas alturas debería comprender: se trataba de un anticipo, fue el primer anuncio importante de lo que estoy viviendo ahora. Ocurrió un sábado, casi al final de la tarde. Estábamos en agosto y el calor era inmenso. Las ventanas del edificio donde vivo dan hacia el oeste de la ciudad y, cada día, mientras va cayendo, el sol se empoza en mi apartamento. Se puede sentir su volumen sobre el cuerpo. Es un animal sin formas que me invade, un aire amarillo que me envuelve. Yo estaba en calzoncillos, tratando de arreglar el ventilador. Es un viejo aparato de aspas que compré hace años en el centro de la ciudad. El día anterior, de pronto, se había detenido, sin ningún motivo especial. En un segundo, había dejado de funcionar. Pensé que el calor lo había noqueado.

«Es como si le hubiera dado un infarto», le dije a mi cuñado cuando hablé con él por teléfono.

Mi cuñado se llama Víctor y es un experto en este tipo de faenas. Es un hombre práctico. Siempre que tengo algún problema doméstico lo llamo. «Quizás sólo sea un cable suelto», me dijo Víctor. Y luego mé explicó cómo debía abrir el ventilador y husmear en su interior, buscando una pequeña arteria, azul o amarilla, extraviada, desprendida de su lugar. No le dije que no tenía destornillador, supongo que me dio un poco de vergüenza. Por eso agarré el cuchillo y, con su punta, intenté dar vueltas a los dos tornillos de estrías que aseguran la espalda gris del artefacto. Fue entonces cuando, en medio de un movimiento tonto, la nariz del cuchillo resbaló y se hundió en la palma de mi mano izquierda. La sangre salió de inmediato, disparada, como si llevara demasiado tiempo retenida debajo de mi piel. Brincó con desesperación. Varias gotas se estamparon contra la pared. Yo instintivamente alcé la mano. Fue lo único que se me ocurrió. La sangre comenzó a chorrear por mi antebrazo. Sentí frío en la herida. Corrí al baño, abrí el grifo y puse mi mano bajo el agua. No me atreví a mirar. Clavé los ojos en el espejo. Me aferré a la imagen de mi rostro, fruncido, como si quisiera apretar mis miedos, mientras sentía un mareo de líquidos abajo, en el cuenco del lavamanos. Agua fría y sangre caliente. No sé si pensé eso, pero, ahora, me viene esa frase, llega danzando, como si fuera el fondo musical de aquel momento. Cuando por fin me atreví a deslizar mis pupilas hacia abajo, todo estaba rojo. El agua incluso amenazaba con desbordarse. Al tratar de cerrar la llave, tropecé con el vaso donde guardo la crema dental y mi cepillo de dientes. Ambos se hundieron en el agua y en la sangre. Las cerdas del cepillo se tiñeron de inmediato. Enrollé una toalla sobre mi mano, me calcé como pude un pantalón, unas chancletas, y salí apurado. Seguía haciendo mucho calor.

«Manténgala así, apenas se desocupe un doctor, lo vamos a coser.» Una enfermera robusta me hizo un torniquete y me obligó a permanecer con el brazo extendido para evitar la circulación de la sangre.

Intenté consultarle algo pero no me dio tiempo. Ni siquiera me miraba.

«No son más de cuatro puntos», agregó, con cierto desdén, como si mi mano y yo estuviéramos desentonando en la sala de emergencias de la clínica.

Con el apremio, había olvidado el teléfono celular en mi casa, no tenía manera de comunicarme con nadie. Me sentía un poco estúpido, sentado en una esquina, con el brazo en alto, mientras las enfermeras y los médicos se afanaban, atendiendo casos mucho más graves. En ese instante, de repente, se me ocurrió un argumento para una película. Es una deformación profesional: soy libretista. Desde hace demasiado tiempo trabajo escribiendo guiones para la televisión. Me sucede muy a menudo con todo lo que veo y escucho, incluso me pasa con mis propias experiencias. Siempre estoy pensando en términos televisivos.

Es como si de manera permanente tradujera todo lo que me ocurre, o todo lo que ocurre a mi alrededor, lo que percibo y lo que intuyo, a probables relatos fílmicos. Esa tarde, por ejemplo, mientras esperaba cuatro puntos de sutura, comencé a pensar en una historia sobre la inmortalidad. No es un tema nuevo. Pero desde hace mucho se acabó la novedad. La era de los descubrimientos ya pasó. De todos modos, yo estaba pensando en una historia con un giro diferente: un hombre de treinta años, joven, buen mozo, con éxito y prestigio, logra por fin conseguir la receta de la inmortalidad. No pensé en el método en ese momento. No me importaba. Me daba igual si daba con una inusitada fórmula química, si le caía un rayo entre oreja y oreja, o si había fraguado un pacto con el diablo. Lo importante del cuento es que la inmortalidad, como condición, como espacio de tiempo detenido, no llegaba cuando el joven lo esperaba sino en el peor momento: el pacto se cumplía cuarenta años después, cuando ya era un viejo. Justo en ese momento, por fin, el hechizo hacía efecto y comenzaba entonces la eternidad. Era, obviamente, un argumento lleno de humor negro. Un hombre al que la inmortalidad se le convierte en un infierno. Cada día debe ir a un nuevo examen médico. Su infinito está lleno de análisis de sangre, de citas con el urólogo, de ecosonogramas abdominales, de endoscopias, de chequeos de próstata... Jamás escribí dos líneas seguidas sobre esto. Sólo se me ocurrió y ahí quedó, flotando. Sólo lo recuerdo de manera ocasional. Como ahora.

Aquella tarde pensé por primera vez seriamente en la muerte, en mi muerte.

Sospecho que justo la línea anterior me la acaba de dictar ella. Siento su reclamo interior. Llevo escritos exactamente 6.432 caracteres y todavía no he dicho, no había dicho, que no se trata de la muerte en general, que es ella, mi muerte, tan singular como mi miopía, tan caprichosa como mi fascinación por los higos. En todo caso, no lo había escrito así.

Pero es cierto. Tiene razón. Aquella tarde de pronto me vino la imagen de *mi* muerte. Como una ráfaga. Me vi ahí mismo, tendido en una camilla, en la emergencia de esa clínica. Me vi cadáver, helado, verde. Fue espantoso. Tuve la nítida sensación de que no me encontraba en ese lugar por azar. Que esa sala de emergencias no era un accidente sino un destino. Quería irme corriendo pero no podía. Sentí que lo mismo me pasaría cuando llegara el momento de mi muerte: no tendría manera de salir. A partir de esa tarde, algo cambió dentro de mí. Comencé a sentirme más frágil. Comencé a obsesionarme con esa idea. Es la única explicación que puede tener la inexplicable melancolía con la que me levanto ahora todas las mañanas. Es una señal. Un signo misterioso pero contundente. Un aviso. Decidí que ésos son los tres kilos de más que se mudaron a vivir conmigo cuando cumplí cincuenta años. Es lo único que he ganado con el tiempo. Todo lo demás es pérdida.

Acabo de releer lo que he escrito y me resulta deprimente. No soy así. O no soy tan así. O quizás no soy *sólo* así. Hay un exceso de dramatismo en estas líneas. No me voy a morir mañana. Pero ahora tengo más presente la certeza de que me voy a morir. De eso se trata. Lo sé y vivo sabiéndolo. Saboreando ese saber. Lamentablemente. Eso es todo. Y quizás por eso cambian tantas cosas cuando uno cumple cincuenta. De hecho, yo siempre sentencié que jamás escribiría nada en serio, nada personal, nada que no fuera un libreto de televisión. Y ahora estoy aquí, sentado frente a la computadora, haciendo lo que siempre juré que jamás haría. Quizás por eso necesito aclarar que no estoy escribiendo un diario. Los diarios me parecen ridículos. Ridículos y amanerados, además. Tampoco ahora voy a traicionar lo que he sido durante toda mi vida. Sigo fiel a mis creencias. No me interesa la escritura como arte. Es mi forma de ganarme la vida, nada más. No tengo ninguna pretensión literaria. Me decidí a escribir esto, más bien, como una estrategia clínica. Tiene que ver justamente con la pérdida. Desde que cumplí cincuenta también siento que estoy empezando a olvidar las cosas. O quizás olvido igual que antes pero ahora me doy cuenta, ahora me preocupa. Cada vez más. La simple sospecha de perder la memoria me aterra. Por eso abrí este archivo y comencé a escribir. Porque quiero tener mi memoria fuera de la cabeza, al alcance de la mano. Quiero poder leer mi vida si algún día amanezco no con tres kilos de más sino con muchos recuerdos de menos, con la mente casi en blanco. Aunque no sepa cómo ni para qué, aunque quizás ya no me sirva para nada, deseo tener mi vida en un lugar aparte, por si acaso. Escribir, para mí, es una labor preventiva. El día de mañana, si pasa algo, quizás estas líneas me ayuden a saber quién soy. Quién fui. Esto no es literatura, esto sólo es profilaxis

Esta mañana todavía estaba oscuro. Abrí los ojos, observé las luces verdes del reloj despertador: cinco y trece. Después, la ventana tardó unos segundos en ser ventana. Antes, en mi mirada, sólo fue una mancha, una forma vaga, hasta que lentamente volvió a tener forma, a recuperar sus líneas rectas, sus ángulos perfectos. Me senté en la cama y volví a experimentar una inmensa pesadumbre.

Esperé dos o tres minutos, a ver si seguía de largo, si yo sólo era un andén, un lugar de paso, la alcabala donde se detenía momentáneamente un fenómeno natural mayor, más trascendente. Eso sería ideal: que el desasosiego fuera un clima, que esta tibia aflicción no me perteneciera, que formara parte de las condiciones atmosféricas. Uno podría cada mañana, al encender la radio o el televisor, escuchar los pronósticos del día: borrascas y lluvias, algo de desconsuelo hacia el final de la tarde. No salga sin paraguas. O mejor: no salga.

No es la manera más saludable de iniciar el día, lo sé, pero tampoco poseo otra. Me levanté y fui al baño, me miré en el espejo durante unos segundos. Tener cincuenta te da una extraña conciencia. Sabes que no estás a punto de morir, pero también sabes que ya entraste en la zona de riesgo. Ya pasaste el medio del camino de la vida. Yo lo crucé sin demasiadas audacias. A veces creo que eso es lo que me dice el espejo.

Me cepillé los dientes, fui a la cocina, descalzo, desnudo, me gusta dormir desnudo, preparé la cafetera y me fui a sentar frente a la computadora. Ésa es mi rutina de cada madrugada. Leí el periódico en internet, revisé mis correos, nada interesante, ninguna novedad. Volví a abrir entonces este archivo, esta página. No sé por qué pero, últimamente, recordar y tratar de escribir sobre mí mismo me produce alivio, me regala una sensación mórbida, me ayuda a encontrarle algún sentido a la vida. También puedo advertir que es una manera de escapar, de fugarme del hartazgo de mis días. Ahora, por ejemplo, debería estar, más bien, empezando a escribir mi nuevo proyecto. Me conviene. Mi última telenovela fue un fracaso trepidante. Sé que en el canal ya hay quien dice que estoy en decadencia, que mis mejores años ya pasaron, que ya entregué lo que podía dar. Hace diez meses escribí *Amor indomable*, una porquería sobre una muchacha campesina que llega a la ciudad en busca de su verdadera madre, a quien cree enferma en un ancianato. Muy pronto se enfrenta al misterio de descubrir que su madre no existe y que el médico que atiende la institución es su destino, el único amor de su existencia. Una mierda con credencial, con etiqueta. Eso era. Eso fue. Capítulo a capítulo y noche tras noche. En horario estelar. Pero era la mierda que me pidió el canal. Una historia rosa, clásica, antigua. Un culebrón típico. «Eso es lo que quiere ver la gente», dijeron. «No queremos nada enrollado, diferente; no nos interesa nada moderno.» Ésa fue la instrucción.

Yo trabajo en el canal 6 desde hace veinte años. Ya soy de la vieja guardia. En la televisión, todo envejece más de prisa. Demasiado rápidamente, uno se convierte en paquidermo. A los altos ejecutivos los cambian de cargo, los van orillando a cumplir funciones más inocuas; a los creativos simplemente nos botan. Antes, yo tenía que entenderme con Rafael Quevedo. Él era el gerente de Dramáticos. Lo conocía desde siempre. Cuando entré al canal, ya él era productor de los programas de entretenimiento. Luego pasó a coordinar toda la producción dramática, y de ahí saltó a la liga de los vicepresidentes. Pero hace un año lo condenaron a la antigüedad, lo pusieron a cargo de los proyectos especiales. En realidad, es la más inocente y la más inútil de las vicepresidencias. Es puro ornato. Y él lo sabe. Quevedo no es tonto, lleva demasiados años en la industria, conoce perfectamente cómo funciona esta fábrica. Pero igual se resiste. Como un viejo boxeador, sueña con volver. Vive conspirando, dentro y fuera del canal, intentando que le den de nuevo una oportunidad, queriendo demostrar que él, que sólo él, sabe cuál es el secreto del éxito.

Yo lo conocí en su época de oro. Cuando estaba bendecido por el *rating*, cuando tenía todo el poder. Él era el padre, el creador, el inspirador, el responsable de todas las novelas exitosas del canal. Fue el gran momento de nuestra industria. Por fin entendimos que la cursilería también podía ser un producto de exportación. Nuestras telenovelas se veían en Europa, en Asia, incluso en algunos países del mundo árabe. Cuando un venezolano estaba de viaje, en el extranjero nos reconocían por el acento: «usted habla igual que en las telenovelas», decían. Ése llegó a ser nuestro sello de identidad. Formábamos parte de la peculiar comunidad de personas que decían «mi amor» cada cinco o seis palabras.

En ese entonces, yo empezaba a destacar como autor de teleculebras. Los viernes, al final de la tarde, a veces Quevedo nos convocaba a su oficina. Ahí citaba al director, al productor de piso y al escritor a revisar los *ratings*, a analizar cómo iban las cosas en el estudio, a intercambiar ideas. Recuerdo nítidamente una de aquellas tardes cuando, de pronto, después de tomarnos unos whiskies para celebrar las excelentes cifras de sintonía de nuestra telenovela, Quevedo, raptado por la euforia, propuso que jugáramos a «El Impasible». Los otros dos que estaban en la mesa se rieron, era obvio que sabían de qué se trataba, que ya habían participado alguna vez en esa misma dinámica. Yo no entendí nada. Quevedo me contó que era un pasatiempo que había aprendido en España, en una reunión de ejecutivos de la industria. «Es muy sencillo. Ya verás.» Estaba anocheciendo, una tormenta tropical azotaba la ciudad. Las gotas de lluvia parecían dedos sobre el cristal de las ventanas. Quevedo salió de la oficina y, unos minutos después, volvió a entrar con una muchacha de una belleza distinta a las típicas bellezas que uno solía encontrar en el canal. Era delgada, no ostentaba su cuerpo como si fuera un trofeo; debía ser andina, tenía la piel muy blanca y el cabello negrísimo. Como alquitrán. Lo llevaba algo desordenado y en rizos, hasta los hombros. En sus ojos había timidez, temor. Sonreía, insegura, frágil. Si acaso tendría veinte años. «Ella es Yadira», dijo Quevedo. La muchacha saludó, inclinando levemente su mandíbula. «Va a actuar en la próxima novela de las nueve», añadió, con media sonrisa cínica, al tiempo que le daba una palmadita en la nalga y agregaba socarrón: «si se porta bien, claro está.» Los demás nos presentamos, dijimos cualquier cosa. Yo estaba nervioso, o quizás más bien un poco suspicaz; los otros dos saludaron con cierto disimulo, con una discreción mal disimulada, tratando de esconder una mueca pícara. «Bueno, mi vida, ya sabes qué hacer», dijo Quevedo, mientras ocupaba su lugar en la mesa. La muchacha, con ese mismo leve susto en el fondo de los ojos, se agachó y se deslizó entonces debajo de la mesa. Quevedo me miró, me guiñó un ojo, ofreciéndome una sonriente complicidad. No hicieron falta más palabras. Ése era el juego. Quevedo traía a una extra, a una aspirante a actriz a quien de seguro ya le había prometido algún papel, y la escurría debajo de la mesa que tenía en su oficina, donde solíamos reunirnos. Era una mesa redonda y ancha, de fórmica, con bordes amplios, tendidos hacia abajo, como si escondieran unas gavetas ficticias. Él pretendía que siguiéramos conversando seriamente mientras la muchacha, debajo de la mesa, debía elegir a uno de los cuatro y darle una mamada sensacional. La tensión se centraba en descubrir, mientras supuestamente discutíamos asuntos serios de trabajo, quién de nosotros estaba recibiendo una acalorada sesión de sexo oral. Por eso se llamaba «El Impasible».

Yo tuve un pálpito. Tal vez no había consumido suficiente alcohol. O probablemente tan sólo fue el rostro de esa muchacha, su mirada; esa mezcla de candidez, ilusión y sacrificio, me mató. Me sentí incómodo, nervioso. Pero no lo dije. Nunca me levanté, jamás puse sobre la mesa algún reparo moral, no fui capaz de salirme del juego. Quevedo comenzó a hablar de inmediato de algo concreto, de un problema específico de trabajo. Como si justamente se hubiera reservado ese asunto especial para ese momento. Nos sorprendió con un tema serio, real y complicado, que de inmediato sumó más expectativa a lo que ocurría debajo de la mesa. Recuerdo que habló de un actor que se había incorporado al sindicato y que estaba dando problemas. El canal deseaba dar una lección. «Tienes que sacar a su personaje, Manuel», me dijo Quevedo. «¿Sacarlo?», pregunté. La conversación iba por un lado, pero nuestras miradas iban por otro, seguían atentamente cada gesto, cada mínimo movimiento facial, cada detalle de la respiración, que pudiera delatar a alguno de nosotros. Cuando sentí la mano de Yadira sobre mi pantalón, temí que se me quebrara la voz. «Eso es imposible», dije. No era verdad. Nada es imposible en una telenovela. Pero tampoco deseaba cumplir las órdenes caprichosas de la gerencia del canal. Me parecía injusto e indignante que la empresa castigara de esa manera a un actor que simplemente se había sindicalizado. Los dedos de Yadira comenzaron a tratar de abrir suavemente la cremallera de mi pantalón. Su mano hacía una leve presión, mi miembro ya estaba alerta, inquieto, tenso. El director abogó a favor del actor a quien el canal tachaba de conflictivo. No daba problemas, era puntual, siempre venía con la letra aprendida. El productor de piso dijo que él no opinaba, que él era un empleado, que él simplemente seguiría las instrucciones que venían de arriba. Arriba. Abajo. Eso pensé. Una de las manos de la muchacha se enroscaba en mi pene. La otra acariciaba mis bolas, con tanta suavidad. Se me hizo agua la boca. De repente sentí que el silencio me delataría. Traté de fingir lo mejor posible, mientras decía algo sobre la ética y la dignidad. Yadira se metió mi sexo entre los labios. Lo engulló. «No vengas con pendejadas políticas, Manuel», masculló Quevedo, sin dejar de usar una mirada periférica, tratando de captar cualquier reacción particular en alguno de nosotros. Los movimientos de la muchacha eran tan tiernos, tan amables. Mamaba con una delicadeza extrema. No parecía apurada. En un momento, incluso, deslizó su lengua muy despacio, lamiéndome, como si pintara mi verga con su saliva. También me chupó los testículos. Sentí vértigo. «Más allá de eso –algo así creo que dije–, también hay un problema central en la historia: no puedo eliminar a ese personaje de un plumazo tan sólo porque la empresa lo pide. Ese personaje está muy pegado a la trama central, él es el único que sabe el secreto de la protagonista, incluso he estado pensando en usarlo temporalmente como contrafigura.» Dejé de hablar. Los otros tres me miraban, sonriendo. Sentí que el rostro se me calentaba, enrojecía. Los tres sonreían cada vez más abiertamente, cada vez más divertidos. Quevedo me señaló el ojo izquierdo. «Se te está saliendo una lagrimita», exclamó, ya en la risa, con una carcajada, celebrando con los otros el haberme descubierto. Debajo de la mesa, yo todavía temblaba dentro de la boca de Yadira.

Desde ese día, esa aspirante a actriz siempre ha tenido un personaje en mis telenovelas. En papeles pequeños, en roles de escasa trascendencia, por supuesto, pero yo nunca le he fallado. He pagado aquel juego de esa manera y durante todos estos años. La he visto envejecer de historia en historia, haciendo de enfermera o de sirvienta, de mejor amiga de un personaje principal, de presidiaria o de monja. Ya sus ojos no expresan ninguna fragilidad; se ha operado las tetas y la nariz, tiene una hija de siete años En *Amor indomable* hizo de campesina ciega. Se la violaron en el capítulo 72. Me lo agradeció mucho. Estaba feliz. «La gente me reconoce en el metro», me contó. «Tú eres la de la novela, la que violaron», me dijo que le dijeron. Quevedo tampoco la olvida, aunque nunca recuerda su nombre. La llama simplemente La Lagrimita. Siempre me pregunta, con sorna, con ironía, qué papel le voy a dar a mi lagrimita en mi nueva telenovela.

Ahora me doy cuenta de que ya no puedo cambiar nada de lo que fui. Ahora sólo puedo escribirlo. Quizás la escritura es la única oportunidad que tengo de ser distinto. Probablemente, esta versión de mí mismo sea mucho mejor que mi propia vida. Pensaba en esto hace un rato, cuando estaba en la cocina, preparándome otro café. Tal vez hice algunas cosas de las que ahora me arrepiento, pero también es cierto que tenía un ánimo, una fuerza, un ímpetu que ahora extraño, envidio. Tenía futuro. La lógica de la vida es mezquina. Cuando era un inconsciente, me gasté la mayor parte del tiempo que tenía. Ahora, que por fin comprendo mejor tantas cosas, que por fin sé qué quiero y qué puedo esperar de mí y de los demás, ahora lo único que puedo hacer es despedirme.

Estaba a punto de volver a deprimirme, yéndome por el mismo agujero; a punto de volver a escribir que hubo un día con tres kilos de más en la báscula, cuando de repente sonó el teléfono de la casa. «¡Épale!», dijo una voz. Yo lo reconocí inmediatamente. Quevedo saluda de esa manera. Jamás se presenta, no dice quién es. Da por descontado que uno siempre está esperando su llamada, que siempre lo voy a reconocer. «¿Cómo está la vaina?», preguntó. Le dije que bien, que ahí, ahí, lo que se suele decir siempre. Él estaba demasiado simpático, encantador. Me puse en guardia.

Hablamos un poco del país, de algún viejo conocido común, al que ya ninguno de los dos frecuenta, hasta que finalmente aterrizó: «¿Estás ahora en un proyecto?», preguntó de pronto, yendo directo al grano. «Tengo que presentar una idea para mi nueva telenovela», contesté. Es la única ventaja que tienen los libretistas en la industria de la televisión. A veces pueden decir que están pensando. Y realmente ése era mi acuerdo con el canal. Estaba pensando mi próxima historia. «Pues, entonces, ya no pienses más», me dijo, lleno de un sospechoso optimismo. «¿Cuándo puedes venir a mi oficina? Tengo un proyecto ideal para ti, Manuel. Ya verás. Te voy a dar una gran oportunidad.»

Llevo más de veinte años trabajando en la televisión. Cuando alguien dice que va a darte una gran oportunidad, piensa siempre lo peor.

3

La primera reunión es un desastre. La displicencia de Manuel Izquierdo contrasta con el entusiasmo exultante de Quevedo. El libretista llega tarde, luciendo una barba de dos días, vestido de manera informal y acompañado de una irremediable mueca de fastidio. Todo, en su aspecto y en sus gestos, parece esconder una secreta provocación. Apenas mira al joven Pablo Manzanares, ni siquiera sonríe en el momento de las presentaciones, no acepta un café, se sienta rápidamente en uno de los sillones de cuero de la amplia oficina de la vicepresidencia de Proyectos Especiales y pregunta para qué lo han mandado llamar.

Quevedo se regodea en un prólogo. Explica que la situación del canal es crítica, que está perdiendo en casi todos los horarios con el canal 11 y, a la hora de la programación infantil, a media tarde, también pierde con el canal 9, quedando en el tercer puesto con respecto a las preferencias del público. Es una caída en picada. El año pasado el canal estaba en primer lugar absoluto pero en los últimos meses las cifras del *rating* son cada vez peores. Quevedo saca cuadros, estadísticas; muestra los indicadores de *share*, enseña diversos análisis, algunos resultados de los *focus groups* que se han realizado.

–Tú sabes lo que es esto, Manuel –dice–. Nos ha pasado antes, ¿recuerdas la crisis del 93? Nos dieron con todo. Ni poniendo a la Madre Teresa de Calcuta desnuda en la pantalla la gente volteaba a mirarnos. Pasamos dos años castigados. La audiencia no quería saber nada de nosotros.

Izquierdo sólo asiente, pero es obvio que no sigue demasiado de cerca la conversación. No tiene el mismo ánimo. Se mantiene a distancia, como sosteniendo siempre un intangible aburrimiento entre ambos. En algún momento suelta algunas palabras, pero sólo intenta minimizar un poco la situación. Recuerda que en la relación con la audiencia también hay ciclos, alude a las naturales etapas del mercado. Al público le gusta cambiar, variar, va y viene, luego regresa. El comportamiento de la audiencia televisiva siempre es pendular, afirma, con excesiva calma, como queriendo permanecer al margen de la emergencia. Quevedo ignora olímpicamente esa actitud. Da pasos por su amplia oficina, mientras continúa la conversación.

–Yo tengo una idea –dice, al final, a manera de conclusión, deteniéndose frente a Izquierdo–. Quiero hacer un *reality show.*

La frase sale disparada de su boca y se alza brevemente sobre el aire. Izquierdo queda pensativo, como si siguiera con sus pupilas el vuelo de las palabras. Tras una pausa, finalmente encara al ejecutivo.

–Tampoco es una tremenda novedad, Rafael –dice–. ¡Ya ha habido otros *reality* con gente que quiere ser cantante, con actores, con deportistas, con gordos, con amas de casa, con náufragos... ! ¿Qué más puedes inventar?

A Quevedo le brillan los ojos. Ésa es su idea. Ésa es, además, una constatación de que su idea es original, inesperada, excelente. Mira a Pablo en una gozosa satisfacción y luego vuelve a observar a Izquierdo. Siente que tiene un tesoro dentro de la boca.

–¡Indigentes! –exclama.

–¿Indigentes? –Manuel Izquierdo pierde por fin su mueca desangelada.

Los mira a ambos de forma alternativa, genuinamente desconcertado

–¿Indigentes? –repite, como si necesitara escuchar un eco.

Los otros dos asienten. Cada quien a su manera. El muchacho con cara de resignación. Quevedo, alborozado.

–Indigentes, sí. Mendigos, recogelatas, pordioseros, *homeless*, limosneros, loquitos de carretera... Como quieras llamarlos –enumera, detalla, se entusiasma todavía más el vicepresidente de Proyectos Especiales.

Transcurren unos segundos de silencio. Es un silencio pastoso. Quevedo y Pablo observan a Manuel Izquierdo, expectantes. El libretista se arrellana en el mueble. Sus movimientos son lentos pero, por primera vez, luce incómodo, fuera de tiesto.

–¿Me estás jodiendo? –sondea.

–No. Te estoy hablando completamente en serio.

Izquierdo asiente, hace otra pausa.

–Entonces estás completamente loco –dice, presionando con énfasis el adverbio.

–Espera. No te adelantes. Escúchame. Ya se lo planteé al Comité y me dieron luz verde.

–Están locos todos –repite Izquierdo. En el mismo tono. Como quien recita de memoria la fórmula química del aluminio.

–No, no. Piénsalo un segundo. Imagínatelo. Cinco, seis o siete indigentes. Hombres mujeres, jóvenes, adultos contemporáneos, quizás uno más viejo... los sacamos de la calle, de debajo de las alcantarillas, de los basureros, de la cagada donde viven, y los metemos a todos juntos en una casa. En una casa elegante. Con muebles, con todas las comodidades. Con alfombras, con televisores de pantalla plana, con piscina, con cancha de tenis, con aire acondicionado, ¡hasta con servidumbre, carajo! Llenamos eso de cámaras. Los filmamos día y noche, las veinticuatro horas. Vemos cómo reaccionan, qué hacen, qué dicen... ¿Entiendes?

–Sinceramente no. Y lo poco que entiendo no me gusta.

–¿Cómo que no te gusta? –Quevedo reacciona con vehemencia–. ¡Es genial, Manuel! ¡Todo el mundo sueña con ganarse la lotería, coño! ¡Todo el mundo quiere despertarse una mañana y descubrir que es millonario! ¡No hay nada más venezolano que ese sueño, además! ¡Siempre nos hemos creído ricos, siempre estamos pensando que alguien nos quitó la fortuna que era nuestra! ¡Ésa es nuestra historia! ¡Tenemos petróleo y estamos jodidos!

–¿Tú te vas a poner a hacer sociología ahorita, Rafael –masculla Izquierdo con irónica aspereza, mirándolo con una expresión sarcástica, burlona.

–No es sociología: es la vida misma. Deja los prejuicios, piénsalo con calma. ¡Cada uno de esos mendigos es una telenovela, Manuel!

La oficina de Quevedo está llena de retratos, fotografías que cuelgan de las paredes, que permanecen suspendidas abarrotando el espacio. Las hay de todo tipo, en blanco y negro, a color, imágenes con cierta calidad y otras que parecen haber sido tomadas con una vieja cámara desechable, a última hora; retratos posados, donde todos los fotografiados aparecen sonriendo, detenidos, o instantáneas donde nadie está pendiente del lente; imágenes en distintos formatos, con diferentes tamaños. Izquierdo trata de huir del momento deslizando sus pupilas sobre todos esos retratos. Ahí está Ana Cristina Meléndez, vistiendo una camisa tipo safari, con un botón estrujado en medio de sus senos, el pelo cuidadosamente revuelto, desafiante en medio de una selva de cartón piedra. Es una escena emblemática de *Hembra herida*, uno de los éxitos del canal en la década de los setenta. Meléndez murió hace unos meses, a causa de un cáncer de pulmón. Otra imagen señala la llegada del color a la televisión nacional. En un estudio, vestidos de traje y corbata, todos los ejecutivos del canal posan para la historia. Como si fueran un equipo de fútbol. Como para enfatizar el momento, cada quien luce alguna prenda con un color distinto. Quevedo es apenas un joven que no llega a los cuarenta años. Sonríe fascinado y lleva una corbata color naranja. Izquierdo de pronto piensa que ese espacio también es un museo, un registro de la historia del canal, desde la perspectiva del ego de Quevedo. El vicepresidente carraspea. Izquierdo mueve inquietamente la lengua dentro de su boca, como buscando allá adentro un poco más de tiempo. Sigue dejando rodar sus pupilas sobre los retratos. Continúa practicando la difícil gimnasia de la postergación. Ese espacio, quizás, en realidad es un salón de cacería. Sólo está viendo animales disecados. Tal vez, él mismo, en ese instante, está caminando hacia una de esas imágenes, sin saberlo, sin darse cuenta. Tal vez, eso hace, eso es lo que está haciendo. La fuga inútil de un insecto que gira y gira, dentro de un frasco de vidrio.

–¿Y bien? ¿Qué me dices?

Izquierdo deja el boceto de un gesto en el aire, apenas un ademán inconcluso. Es una negativa a medias, un intento de huida sin demasiada precisión.

Quevedo vuelve a sonreír. Hay una leve piedad en sus labios.

Toda conversación produce otros cuerpos, distintos a las formas físicas que pronuncian las palabras, que emiten los sonidos. Es un juego de reflejos donde el lenguaje se reproduce y cambia, transforma su naturaleza y adquiere otros volúmenes, se apropia de las figuras para transformarlas. Las palabras son un espejo. Por eso Izquierdo está tendido en el piso, desesperado, alzando los brazos y las piernas, en guardia, tratando de defenderse de un Quevedo que, a cuatro patas, con su sola presencia, lo tiene sometido.

–Piénsalo –repite el vicepresidente, sin dejar de sonreír.

Lo piensa un día, dos, tres, una semana después sigue pensando sin tomar ninguna decisión. En realidad, incluso antes de pensarlo, sabe que no debe sumarse al proyecto. Lo que piensa, más bien, es otra cosa: cómo negarse. Decir no también es un oficio muy exigente. En vez de enseñar historia patria en las escuelas públicas, maestros especializados deberían impartir cursos anuales sobre el difícil arte de negarse. Cosas así piensa y se repite Manuel Izquierdo, a cada rato, todo el tiempo. Duerme intranquilo, despierta de mal humor, pasa el día refunfuñando, apretando pequeñas palabras entre sus muelas, oyéndolas crujir, como si fueran hielos, mientras espera que de pronto, siempre de pronto, repentinamente, termine por sonar el teléfono. Sabe que ése es el siguiente paso, una llamada de Quevedo o de su secretaria. Todo es parte de un protocolo que puede adivinar con bastante facilidad. También el vicepresidente de Proyectos Especiales sabe perfectamente lo que está ocurriendo. Sólo le está dando una oportunidad, el chance de someterse de manera voluntaria, antes de obligarlo. Tal vez sólo es un asunto de cortesía. El canal espera un entusiasmo, aunque sea fingido, no una resignación. Pero la decisión ya ha sido tomada. Finalmente llama la secretaria. Lo cita el miércoles a las cuatro de la tarde en el canal.

Izquierdo ha dibujado muchas veces la misma escena en su imaginación. Eso es mejor que ensayar frente a un espejo. Ya se ha visto tantas veces hablando con Quevedo y, en cada versión, añade o quita una frase, una palabra, una interjección. Minuto a minuto perfecciona todavía más su actuación. Cada vez que lo imagina le sale mejor. De algún lado, en las sombras de su inconsciente, se ponen de pie miles de manos y comienzan a aplaudirlo.

–Ya tengo cincuenta años –se repite, insistentemente, como si su edad fuera un mantra, como si esa cantidad de años fuera el argumento más contundente que tuviera en la mano–. Ya es hora de que me atreva a decir que no, coño –repite, una y otra vez, cuando siente que su ánimo flaquea.

En la oficina no lo está esperando Quevedo sino el joven Pablo Manzanares. De entrada, le parece un mal síntoma. Todas sus faenas de entrenamiento se desinflan de inmediato. Entiende que el alto ejecutivo le está imponiendo el viejo truco de dar por sobrentendida su aceptación y conminarlo a tener de inmediato una primera jornada de trabajo. El muchacho le confirma la estrategia: Quevedo también lo ha citado a él en su oficina, a esa misma hora. Le ha dicho que tendría una primera reunión de trabajo con el escritor. Ésa es toda la información que le han dado. Izquierdo lo mira de arriba abajo sin saber muy bien qué hacer con su propia impotencia, con su indignación. En ese momento, podría echar vapor de agua por las orejas. Percibe el calor de los pasos de la rabia dentro de su piel. Se siente tan ridículo, tan humillado. Veinte años en la industria y nada ha variado, lo siguen tratando igual, con los mismos métodos.

–¿Sí vamos a trabajar hoy? –El joven, frente a él, presiente que algo ocurre. Luce indeciso, perplejo.

Izquierdo sólo suspira. Sonoramente. Como si estrujara un jadeo en su mano. Luego da dos pasos dentro de la oficina, sin mirar a ningún lado, dos pasos más, mirando hacia el suelo, otros dos pasos, meneando negativamente la cabeza y frotándose un poco los dedos, hasta que se detiene, con la piel del rostro torcida hacia un lado, ofreciendo una rara mezcla de cinismo y de ternura.

–Tú estudias Letras, ¿no? Eso me dijo Quevedo.

El muchacho apenas asiente.

–¿Te has leído a Budd Schulberg? –le pregunta, sin darle demasiado tiempo.

–¿A quién?

–Es un escritor gringo. Se llama así. Budd Schulberg.

El joven duda un poco. No demasiado.

–No, no lo conozco –responde finalmente.

–Deberías leerlo –dice Izquierdo.

Luego se encamina hacia la puerta, con cierta calma, como si eso fuera una despedida. Desconcertado, Pablo Manzanares lo sigue, apurando el paso.

–¿No vamos a tra

–Escúchame. –Izquierdo gira de pronto, ataja la pregunta en pleno vuelo, habla bajo y despacio, recortando cada letra con el filo de sus dientes–. Escúchame bien. Yo no soy escritor. Yo sólo soy un guionista. Y a mucha honra. No soy un estudiante de Humanidades que quiere llevar la literatura a la televisión. Tampoco, por suerte, soy asistente de nadie. Ni tengo veinte años. Todo esto me parece una soberana pendejada. No pienso escribir ni una sola línea de ese programa de mierda. No tengo por qué seguir perdiendo mi tiempo con Quevedo y con su nuevo lameculos, ¿está claro?

Pablo no logra reaccionar. No sabe cómo. Queda boquiabierto, mirando cómo la palabra lameculos permanece flotando sobre él, como si fuera una nube privada, particular. Apenas logra escuchar el sonido de la puerta, cerrándose.

Pero la nube sigue ahí.

4

Llevo dos semanas que no me aguanto. No le he contado nada a mi jefe porque tampoco quiero quedar como un niñito acuseta. Le dije que Izquierdo no había llegado a la reunión y ya. Él no le dio demasiada importancia. Dijo que lo llamaría. Después no he sabido nada más pero tampoco he podido olvidar el asunto. Estoy tan molesto conmigo. Siempre me pasa lo mismo, en un momento así nunca sé cómo reaccionar, las sorpresas me paralizan. Pero después, a medida que van pasando los minutos, las horas, los días..., se me van ocurriendo cosas, reacciones, respuestas que he debido darle a ese idiota cuando me llamó lameculos. Todavía, en la mañana, cuando me despierto y voy al baño, cuando me miro en el espejo me da rabia. Me pongo rojo por dentro. Hasta he tenido ganas de buscar su teléfono, entre los papeles de la secretaria del señor Quevedo, y llamarlo. Mira, pendejo, le diría. ¿Quién te crees que soy yo, ah? Pero ahí se me acaba todo, se me termina la imaginación. Un poquito más allá, pues. Porque entonces lo veo del otro lado de la línea, de lo más tranquilito, contestándome: ya te lo dije. Tú eres el nuevo lameculos de Quevedo. Así de simple. Sonriendo. Y luego cuelga. Y luego el clic, la línea muerta. Y yo, otra vez, en lo mismo, paralizado, molesto, sin saber qué decir, sintiéndome peor.

Sólo se lo conté a Randy. Y por supuesto que Randy se rió mucho. Randy piensa que Manuel Izquierdo es un tipo interesante, le parece divertido lo que le he contado. Te molesta porque es cierto, me dijo. Eso es lo que pasa. Lo que dice el tipo te saca la piedra porque es la verdad, porque en el fondo tú te sientes así, me repitió. Y yo le dije: sentirse lameculos no es algo muy sabroso, pana. Y él no me dijo nada. Tan sólo hizo un gesto, abrió los brazos, estiró los brazos más bien. Y luego me lanzó una pregunta que fue un balazo. Porque eso también tiene Randy: es preciso, dispara en el blanco, sabe cómo desarmarme con una sola pregunta.

¿Tú le has contado a Emiliana que estás trabajando en la televisión?

Me dejó en el sitio, paralizado.

Claro que no. Ni que fuera loco. Podría perderla. Aunque todavía no la tengo, podría perderla. Sería un fracaso adelantado. Una forma de arruinar la posibilidad de tener algo con ella.

Emiliana es la mujer más hermosa que yo he visto en toda mi vida. Randy dice que con ella se me acható el cerebro. Que estoy perdido de infantil, de pendejo. Y quizás tiene razón. Parece que tuvieras catorce, dice Randy. Y eso porque Emiliana me pone tonto, me pone cursi. Emiliana me pone poco literario. Es la verdad. A mí jamás me había pasado eso antes. Me gustaban algunas chamas, sí, claro. Sentía cosas. Pero nunca hasta ahí, hasta quedar como un tarado. La veo y siento que me meto un churro de mariguana. Ella es un viaje *express.* Y si me mira, floto. Yo nunca antes me había quedado sin palabras delante de una mujer. Con Emiliana, se me borró la lengua. Me quedé sin saliva.

Yo la conocí el día de las inscripciones en la Escuela de Letras, cuando todos empezamos en el primer semestre. Cuando digo la conocí quiero decir que la vi, que de pronto apareció en mi vida, que cruzó delante de mis ojos. Y fue así. Por primera vez, desde que sé de mí, me sentí así. Sin palabras. En el vacío. Iba sola. Llevaba puesta una camisa sin mangas, azul clara, bluyines y sandalias. Traía el cabello por los hombros, suelto. Los zarcillos eran dos pececitos. Lo recuerdo tan claramente. Hasta sus orejas me gustaron. Yo sentí que ella se deslizaba y que yo me quedaba temblando por dentro. Emiliana tiene la piel color chocolate, el cabello castaño y los ojos muy negros. Cuando sonríe, del lado izquierdo, se le forma un hoyito en la mejilla. Tiene los labios gruesos. Es menuda, quiero decir que no es muy alta, tampoco es ancha, no tiene todas las curvas del mundo, pero no me importa. Tiene las curvas que yo necesito. Es pequeña, pero está muy bien formada. A veces la he imaginado desnuda, de pie sobre mi cama. Así me gusta imaginarla: yo estoy tendido en la cama, leyendo. Leo cualquier cosa, lo que toque, o el libro que ella quiere que yo lea. Porque Emiliana también está ahí, en mi cama, sentada, con un libro en las manos y la espalda apoyada en la pared. El sol que entra por la ventana se tropieza con su cuerpo y produce un efecto maravilloso. Su figura está como mareada de luz. Yo le echo broma, le digo algo. No sé qué porque es una imaginación sin palabras. En cuanto a fantasías con Emiliana yo todavía estoy en la etapa del cine mudo. Ella medio sonríe. Yo le digo algo. Ella me mira y vuelve a sonreír. Yo insisto, digo otra cosa y entonces ella, de repente, deja el libro, se incorpora y comienza a dar pequeños saltitos, de pie, sobre el colchón. Su sonrisa es cada vez más pícara, más cómplice. Y entonces comienza a desnudarse. Así. Parada sobre mi cama. Brincandito. Se quita la camisa. Se desabotona el pantalón. Puedo ver la línea perfecta de su cadera. Mi respiración cuelga ahora de esa franja breve, de esa línea que está entre su ombligo y el borde de su pantaleta. Podría caerme en cualquier momento en ese precipicio. Todo lo que soy podría colarse y hundirse por esa franja en ese instante. Jamás en mi vida había sentido que podía derrumbarme así. Desde que la conocí me pasa eso. Cada vez que la veo. Todavía.

La materia de este semestre que más me gusta es sobre la poesía de Lezama Lima. Pero, más que por Lezama y su poesía, me metí por Emiliana. Quizás debería decir que la materia que más me gusta este semestre es Emiliana. Porque ella también asiste a esa lectura dirigida que da el profesor Urbina. Imagen y semejanza: poética de Lezama Lima, así se llama. El primer día de clase, el profesor nos dijo que no iba a dar bibliografía, que sólo leeríamos dos libros del poeta cubano y que todo lo demás lo conoceríamos a través de fotografías. Dijo que a Lezama Lima había que estudiarlo a través de las imágenes. A Randy eso le pareció un insulto, una piratería. Él se toma muy en serio la carrera. Quiere leerlo todo, quiere estudiarlo todo. Si sigue así va a terminar siendo profesor. A mí, la verdad, no me importó mucho. La simple coincidencia con Emiliana, en ese mismo curso, era lo único que me interesaba.

Mientras el profesor Urbina mostraba un álbum de fotos de Lezama Lima yo la miraba.

Ah, que tú escapes en el instante
en el que ya habías alcanzado tu definición mejor

Emiliana es la muchacha más hermosa que he conocido en mi vida, pero lamentablemente se relaciona conmigo de manera demasiado natural, como si yo no fuera un peligro. Ése es mi fracaso. Eso es lo peor que le puede pasar a cualquier hombre: ser inofensivo.

No. Por supuesto que no le he contado a Emiliana que trabajo en la televisión. Cuando pienso en esa posibilidad, de inmediato recuerdo a Izquierdo, recuerdo lo que me dijo, y sólo siento una piedra atorada en la garganta. Quizás por eso he estado buscando información sobre él. Quizás introduje su nombre en Google sólo por eso, por venganza. Secretamente, esperaba encontrarme con un par de frases que dijeran que era un viejo guionista, mediocre y resentido. Secretamente, me hubiera encantado que la computadora me diera una revancha, que dijera que Manuel Izquierdo era un lameculos. Sin embargo, sólo me arrojó unos breves datos, casi todos de fichas técnicas de diferentes producciones televisivas donde él aparecía como autor o adaptador de varias telenovelas. Nunca nada demasiado original. Al parecer, había tenido una serie de éxitos hace ya algunos años. Había una reseña especial sobre una telenovela suya, llamada *El último hechizo*, una polémica obra que se desarrollaba en el ámbito de la brujería. Yo no había visto ninguna. En realidad, jamás he visto una telenovela completa. Me parecen pésimas, simples, balurdas, muy cursis. Nadie actúa bien. Ni siquiera las paredes, las puertas, los muebles.

En un blog dedicado al género, varios foristas opinaban que Manuel Izquierdo ya estaba quemado, que era un hombre con un pasado lamentable y sin futuro. Me gustó ese blog. Ahí fue donde descubrí lo de la fiesta. Una forista se refirió al suceso, como recordándole al resto de la comunidad un pecado que, según ella, también condenaba moralmente al libretista, definía qué clase de persona era. Tuve que investigar más. Así supe que Manuel Izquierdo también había aparecido en las páginas rojas, en las noticias policiales.

No fue fácil. El hecho había sucedido hacía ya doce años. Pero siempre hay una persona dispuesta a escanear la vida ajena. En otro blog, alguien se había dedicado a reproducir un periódico de la fecha. Todo tenía ver con una redada policial, en un apartamento en el este de la ciudad, donde habían detenido a algunos miembros de la farándula. En la nota, se refería o se insinuaba que se trataba de una orgía y se aseguraba que la policía había encontrado droga. Mucha cocaína. Todos los que estaban participando en la fiesta fueron llevados y fichados en la comisaría. Había varias actrices, un par de extras, un director de cámaras, un luminito, dos productores de piso y un libretista. Manuel Izquierdo aparecía en una de las fotos. Lucía mucho más flaco, sin barba, con unos gruesos lentes de pasta, y el cabello enmarañado. La fotografía lo mostraba esposado, entre la borrachera, la trona y el susto. Era obvio que el flash de luz blanca lo dejó congelado. Tenía menos cara de hijo de puta. Llevaba una camisa a medio abotonar. A su lado, estaba una muchacha en minifalda. Aun a oscuras y en esa situación, se veía que estaba buenísima, tenía unas piernas sensacionales. Se trataba, según decía la leyenda de la foto, de la actriz Beatriz Centeno. Ella aparecía apurada y en la mitad de un grito, tratando de agachar la cabeza. También estaba esposada. Entre sus manos, colgaba uno de sus zapatos de tacón.

¿Cuánto tiempo gasté buscando en la red viejas revistas amarillistas dedicadas al mundo del espectáculo? Me sentí de la patada. Era cierto: apenas acababa de empezar a trabajar en el canal y ya me estaba embruteciendo. En vez de leer a Lezama Lima estaba rastreando notas de farándula.

De pronto, esta imagen: yo estoy concentrado en el cabello de Emiliana. Ella está dos lugares más adelante. Yo trato siempre de ubicarme en un buen puesto, detrás de ella. Me encanta su cabello ondulado, lleno de crespos; me encanta cómo se reparte sobre su nuca. El profesor me pide que lea unos versos en voz alta. Emiliana se voltea a mirarme, como casi todos los demás alumnos, pero a mí me importan un carajo los demás, sólo veo a Emiliana, más allá del libro. Detrás del poema, está ella. La presiento. Me tiemblan las manos.

Ah, que tú escapes en el instante
en el que ya habías alcanzado tu definición mejor,
Ah, mi amiga, que tú no quieras creer
las preguntas de esa estrella recién cortada,
que va mojando sus puntas en otra estrella enemiga.

Emiliana por fin me mira de otro modo. Eso creo. Hay una dulce turbación en sus ojos. Quizás, por fin, me tenga un poco de miedo. Ojalá.

¿Qué pensaría Emiliana si supiera que yo trabajo en la televisión?

Un día como hoy, por ejemplo: le entregué el informe final al señor Quevedo, el resultado de mi primera tarea asignada. ¿Qué pensaría Emiliana si, a través de un huequito, hubiera podido verme?

Según el calendario, tenemos que salir al aire lo antes posible. Ésa es otra de las cosas que he aprendido de la televisión. Todo es urgente, todo es para ayer. Pareciera que nunca planifican nada, que todo es al día, según se mueva el público. El señor Quevedo dice que, si el *rating* sigue así, en cuatro o cinco semanas a más tardar tenemos que estar al aire. Vas a tener que ponerte las pilas con la universidad, me advirtió, esto es muy exigente. Quiero que este proyecto sea tu prioridad. Yo dije que sí, que no había problema. Por primera vez me sentía importante, pensaba que tenía un trabajo de verdad. Ya no era más un asistonto, el hijo inútil del loco Manzanares; ahora estaba en un proyecto especial, hasta tenía una oficina nueva.

Mi primera tarea asignada fue reunirme con el departamento legal del canal y presentarles el *reality*, explicarles bien la idea. Todos los abogados usan siempre traje y corbata. Me miraron seriamente, también se miraron varias veces entre ellos, me pareció que la idea les preocupó un poco. El que parecía el jefe o el director me preguntó de dónde íbamos a sacar a los indigentes. ¿De dónde vamos a sacar a los indigentes?, yo le llevé la pregunta a mi jefe. No me hizo gracia. Me sentí un mensajero de interrogantes. Pero tampoco podía hacer otra cosa. Los abogados se clavaron en ese punto. Eso no es tan fácil así, no se puede salir a cazar mendigos por las calles, algo así dijeron. En la jerga legal, por supuesto. Y así mismo se lo dije yo al señor Quevedo. Eso no es tan fácil, no se puede salir a cazar mendigos por las calles.

Y eso fue lo siguiente que me propuso el señor Quevedo. Me pidió que investigara, que hiciera una «primera exploración» para un posible *casting*. Randy no hacía más que joderme. Decía que yo estaba destruyéndole la fantasía de la televisión. Decía cosas así: yo esperaba, coño, que le hicieras *casting* a unas misses, a unas jóvenes actrices, a unas modelos, y ahora tú sales con que vas a hacerle *cas-*

ting a unos indigentes. Randy afirmaba que yo lo estaba engañando, que en realidad no trabajaba en el canal sino en una oficina de bienestar social de algún ministerio. Lo que tú haces es todavía peor que la televisión cultural, decía. Es más aburrido, también decía. Y lo peor es que tenía razón. Era cierto. Lo que estaba haciendo no tenía nada de glamoroso, no me producía ninguna emoción. Era interesante. Pero la palabra interesante es ambigua. Sirve para decir demasiadas cosas. Es mejor la palabra excitante. Ésa sí que no se presta a dudas. Lo que yo estaba haciendo era interesante. Nada más.

Si, como soñaba Randy, yo hubiera estado en un *casting* de misses, de jóvenes actrices o de modelos, podría escribir ahorita algo sobre las caderas de esas mujeres, sobre qué clase de tetas tenían, sobre sus movimientos, sus formas de mirar, de hablar, sobre sus labios... Randy me hubiera preguntado por la famosa operación colchón. ¿Es verdad que te lo dan todo, que están dispuestas a coger para que tú las elijas y les des un papel en algún programa? Algo así de seguro me hubiera preguntado. No lo sé. También yo tenía esa pregunta bailando debajo de los ojos. Pero mi primera exploración, como la había llamado el señor Quevedo, no tenía nada que ver con eso. No me iba a poner a pensar en la operación colchón en un centro comunitario de apoyo a los sin techo.

Un periodista que había hecho un reportaje sobre los niños de la calle me dio todos los contactos que tenía. Hablé con tres ONG y también visité los centros de ayuda a los indigentes, administrados por las diferentes instancias públicas. Fui a una casa de alimentación, donde reparten comida gratis para gente que no tiene trabajo ni vivienda. Me presenté como un reportero del canal, del departamento de prensa, en plan de hacer un reportaje para un supuesto programa especial de. Etcétera. Tuve que inventar mil pendejadas hasta que la encargada me invitó a conversar con alguna de las personas que estaban ahí. La mayoría eran hombres. Algunos viejos, otros de edad media, pocos jóvenes. Sólo dos de los que estaban ahí parecían idos, como enajenados, de esos que uno conoce como loquitos. De los que caminan descalzos por las orillas de las autopistas. De los que van hablando solos. Sucios y abandonados. Ellos estaban apartados del resto. Uno andaba descalzo y todo lleno de mugre. El pelo parecía estambre. Estaba acurrucado en una esquina, tenía enfrente un plato de sopa lleno de arroz. Comía con la mano. Hoy vino por primera vez, me dijo la encargada. Al principio, tratamos de no presionarlos. Yo quedé asombrado. Poseía una rara flexibilidad. Se sostenía en un extraño equilibrio, como si estuviera sentado sobre su rodilla izquierda, mientras mantenía la pierna derecha totalmente horizontal. Tenía los ojos lanzados hacia una pared, aunque parecía no estarla mirando. Sólo comía arroz con la mano.

El otro estaba sentado en una mesa aparte. También se veía muy sucio, marrón, como si se hubiera bañado en polvo. Parecía estar dormido, con la cabeza gacha, pero de vez en cuando se despertaba, alzaba de pronto la cara y miraba hacia todos lados, como un pájaro, con movimientos pequeños y rápidos. Pero luego el sueño volvía a jalarlo hacia adentro. Iba bajando la mandíbula poco a poco hasta quedar de nuevo rendido, cabizbajo. Me acerqué un poco a él. Olía a mierda. Por eso estaba solo, supuse.

Los demás me parecieron personas bastante normales. Escribí la palabra y me quedé con la sensación de que necesitaba ponerle comillas. A veces pasa así. Randy dice que las comillas son un asunto moral. Que cuando uno se siente mal con una palabra, entonces usa las comillas.

«Normales». Así. Porque las otras personas que estaban ahí no parecían indigentes, tal y como uno los imagina. No eran recogelatas, vestidos con harapos y sin zapatos, desconectados de la realidad, que andan por la calle sin rumbo fijo, de día y de noche, alucinados, buscando entre las bolsas de basura, durmiendo en cualquier esquina. Por eso digo que me parecían normales. Incluso estaba un tipo que me dijo que había estudiado seis semestres de ingeniería química, que conocía Bogotá y que por favor le mandara sus saludos a la actriz Marilda Hoyos. Me dijo que ella había sido vecina suya hace muchos años, cuando vivían en Charallave. Conversé con varias personas. Siempre hablamos de cosas generales, yo tratando de cumplir mi papel de reportero. En el fondo, de me di cuenta de que me daba pena hablar del proyecto, no hubiera sido capaz ahí de contarle a alguno de ellos sobre la idea del canal. Cuando veía a esa gente y trataba de imaginarlos en un programa como el que soñaba el señor Quevedo, inmediatamente sentía un cólico en el estómago, la lengua se me ponía gruesa, pesada, podía ponerme rojo de un momento a otro. ¿Qué podía decirles? En el canal, cuando hablan de *casting*, hablan también de pruebas de talento. Así les dicen. Son palabras que quizás también deberían llevar colgadas sus comillas. ¿Qué talento tenían esas personas? ¿Qué talento estaba buscando yo ahí? ¿Sus ganas de comer? ¿Su miseria?

El señor Quevedo quedó satisfecho con el informe. Hasta me felicitó. Muy bien, Pablito, me dijo. Y luego comenzó a hablarme de la industria, de la televisión, del futuro que yo podía tener por delante. Por un momento temí que estirara mucho las aes, que me hablara del graaaan futuro que yo tenía por delante. Creo que de pronto le dio un rapto de paternidad. Se puso muy ladilla. Yo lo escuché con paciencia, disimulando. Casi sentí que hablaba como si diera una entrevista, que me hablaba desde su idea de éxito, desde los logros de su vida. Me preguntó entonces si tenía novia. Le dije que no, pero pensé en Emiliana. En el cabello de Emiliana dos puestos delante de mí, siempre. Ésa es su ventaja. Ésa es la distancia que me lleva. Me preguntó también por la carrera, era obvio que no entendía muy bien cómo y por qué estaba perdiendo yo mi tiempo de esa manera. Me preguntó qué materias estudiaba. Yo más o menos traté de explicarle. Fue decepcionante. Lo noté en su cara. Todo lo que yo le contaba le parecía aburridísimo. Volvió a preguntarme en qué trabajaba la gente que se graduaba de Letras. Supuse que ya había olvidado nuestra primera conversación. Así que tuve que repetirle lo mismo: que si profesores de literatura, que si investigadores, que. Pero tú quieres ser poeta, me dijo entonces, sonriendo, demostrándome que no se había olvidado de aquella primera vez que hablamos. Yo asentí. Con media sonrisa estampada en la cara. Creo que con orgullo. O al menos con medio orgullo estampado en la cara. Él me miró con preocupación. Tardó unos segundos en decírmelo: tienes que madurar, Pablito. Tienes que tomarte la vida en serio.

En el canal hay un departamento de recursos literarios. Así se llama. Es una oficina que queda en el piso dos. A veces he pasado por ahí, he visto el letrero en la puerta. He pensado si no es ése mi lugar dentro de esta industria. Una vez le pregunté a la secretaria del señor Quevedo por ese departamento: qué hacen en esa oficina. Me dijo que había un equipo que se dedica a leer y a analizar los libretos de las telenovelas. Quizás si yo trabajara en esa oficina, tal vez sería distinto. Quizás así sí podría ir a la Escuela y contar lo que estoy haciendo. Pero ahora no puedo. No puedo ir y decirle a Emiliana que trabajo para la vicepresidencia de Proyectos Especiales, mucho menos contarle que mi proyecto es desarrollar un *reality show* con indigentes; contarle que voy a trabajar con un guionista que me dice lameculos. Si ya le parezco inofensivo, al saber eso le voy a parecer un estúpido, o peor: un farsante, un frívolo, un poeta que se vendió a la farándula. Qué sé yo. ¿Qué se puede esperar de alguien que trabaje en la televisión?

5

Quevedo me citó a la una en Los Helechos, un legendario restaurante de carnes que tiene un intercambio publicitario con el canal. También es un clásico que algún gerente del canal te invite a comer cuando quiere halagarte o convencerte para que entres en un proyecto. Cuando quieren reclamarte algo, cuando van a cortar la telenovela, o cuando simplemente te van a despedir, te citan en su oficina. No hay whisky, no hay vino, no puedes pedir lo que quieras. Pasé diez días sin contestar el teléfono, tratando de escabullirme, pero finalmente fracasé, no pude desertar. Estela me dejó el mensaje en la contestadora, citándome, con la benevolencia de una invitación, a comer el jueves al mediodía en Los Helechos.

Apenas crucé la puerta, recordé que hace más de veinte años vine aquí por primera vez. Yo era dialoguista, recién había empezado a trabajar en el canal, estaba apenas en mi segunda experiencia como libretista. José Ángel Cifuentes era en esos años el gerente de Dramáticos. Invitó a todo el equipo a almorzar para celebrar, según dijo, el éxito de la telenovela que escribíamos: *El secreto de Alejandra.* Yo estaba emocionado. Jamás había entrado a ese restaurante.

Podía pedir lo que quisiera y no tenía que pagar nada. Todo me parecía tan elegante, tan maravilloso: la vieja casa con sus patios interiores, su fuente de mármol gris, donde un querubín con cara de yo no fui se orinaba cándidamente; la decoración que mezclaba un estilo de hacienda criolla y una pretendida finura francesa: las robustas mesas de madera coronadas con candelabros de plata, las cortinas rojas de cada ventana, acompañadas de los estirados cueros de vacas, colgando como trofeos de cacería en las paredes. En mitad de la comida, cuando ya nos habíamos despachado cuatro botellas de vino, Cifuentes nos anunció que el canal quería que hiciéramos sesenta capítulos más. Dijo «salud» y levantó la copa. Nos hizo sentir que se trataba de un premio, cuando en realidad la decisión de la gerencia implicaba mucho más trabajo sin ninguna bonificación extra. Cifuentes pagó la cuenta y *El secreto de Alejandra* se alargó durante unos meses más con una gran variedad de insólitos eventos. Tiene el dudoso récord de ser la única telenovela del canal donde la protagonista quedó amnésica en tres distintas oportunidades.

Llegué a las doce y me senté a esperar en la barra del bar. El local estaba casi intacto. Las mismas cortinas pesadas, de rojo opaco, los ajados cueros de vaca, tan ridículos, la fuente en mitad del patio, de mal gusto y con un querubín ramplón que ya ni siquiera orinaba. «Hasta las estatuas tienen problemas de próstata», pensé. El restaurante estaba intacto pero ahora me parecía decadente. Ya habían llegado muchos comensales, el bullicio era enorme, los mesoneros iban y venían, como siempre, llevando y trayendo platos, esquivándose, gritándose frases a mitad de su faena, intercambiando siempre palabras de apuro. El humo de las cenefas vagaba de manera desigual por todo el lugar. Yo sentía que faltaba luz, que era un local sin gracia, mediocre. Los objetos envejecen más despacio. Rara vez nos alcanzan. Sin duda, yo había cambiado más que el restaurante. Me había movido más rápido. De hecho, ya casi no como carne. Tengo el ácido úrico alto y el doctor me dijo que lo mejor era abandonar el vino tinto y las carnes rojas. «Una vez por semana, si acaso», me recetó. A medida que uno va sumando tiempo, debe ir dejando otras cosas. Para poder almacenar años, hay que botar por la borda todo lo demás. Por eso estoy obsesionado. La madurez no se elige, es una obligación. Me ronda, me tiene cercado. Ahora no puedo voltear hacia ningún sitio sin encontrarme con mi edad.

Cuando comencé a trabajar en la televisión todavía no tenía treinta. Nunca pensaba en el tiempo, supongo que creía que era eterno. En aquellos años, yo había hecho de todo un poco, que es como decir que no había hecho nada. Llevaba una vida bastante anodina, sin ningún rumbo claro. Primero, empecé a estudiar Sociología en la universidad. Ése fue un mal comienzo. No sé si todavía existe la sociología como carrera, pero si existiera, deberían eliminarla. Yo todavía no sé en concreto qué estudié durante esos años, nunca entendí para qué podía servirme lo que estaba aprendiendo. Pasábamos los días leyendo y hablando de la sociedad, de los conflictos sociales, del funcionamiento social... como si, en el futuro, alguien fuera a contratarnos para hacer eso mismo, tomar café y conversar sobre el país. Creíamos que las tertulias eran una profesión. No sabíamos que al graduarnos, casi de manera inmediata, estaríamos desempleados y sin futuro.

A mí siempre me había gustado leer y escribir. Pero lo hacía a mi manera, sin grandes pretensiones. Leía novelas, libros de cuentos, poesía no: la poesía siempre me pareció una mariconada. Cualquier tipo de poesía. A mí me gustaba la narrativa. En cuanto a la escritura, en aquel tiempo, yo redactaba algunas crónicas humorísticas en el periódico de la Facultad. Nada más. Mis intenciones no iban más lejos. De hecho, no soportaba a los estudiantes de la Escuela de Letras, quienes suponían que por estudiar Literatura en la universidad ya eran una suerte de preescritores famosos. Leían el inicio de *Trópico de Cáncer* y se creían Henry Miller, se asomaban a las primeras páginas de *La peste* y caminaban como si fueran Albert Camus. Nadie sabía cómo carajo caminaba Camus pero ellos lo imitaban, o imitaban los pasos de Camus que tenían en su imaginación. Eran un ejército de futuros genios sensibles, malditos o excéntricos, siempre especiales. En mis años de universidad, me cansé de ver preburroughs y preyourcenars, prekawabatas y precortázars. Yo detestaba a los estudiantes de Letras. O quizás, pienso ahora, secretamente los envidiaba. Tal vez había algo de mí que quería ser y vivir como ellos. Pero me resistía. En realidad pensaba, y todavía lo pienso, que la gran literatura ya está escrita, que sobre cualquier tema ya se escribieron todas las variantes, todas las mejores posibles versiones. Es un poco inútil y ridículo intentar escribir algo que valga la pena a estas alturas. La humanidad también tiene una edad, un tiempo. Ya superó su etapa de la escritura: la humanidad ya escribió todo lo que podía escribir. Se acabó. Eso ocurre. Una vez que inventaste la rueda, no puedes volverla a inventar. Y una vez que hiciste mil quinientos tipos de ruedas diferentes, es difícil creer que todavía vas a crear una distinta y novedosa forma circular. A partir de hoy, se podría prohibir la escritura de libros en el mundo y no pasaría nada. La humanidad todavía podría pasarse muchos siglos leyendo lo que ya se ha escrito. Hoy en día, no hay nada más fácil que escribir un mal libro. Cada vez que alguien siente de pronto el impulso de escribir un libro, debería salir corriendo de inmediato, ir a una librería, o mejor a una biblioteca, y sentarse a respirar profundamente frente a todo lo que ya se ha escrito. Ahí descubriría que lo que quiere decir, ya se dijo, ya se escribió. De mejor forma, además. Sólo puede pretender escribir aquel que no ha leído suficiente. Ése es mi mandamiento personal. Las ganas de escribir libros se matan leyendo libros. Eso es lo que yo he hecho durante casi toda mi vida.

Desde muy temprano, yo dividí a los escritores en dos grandes grupos: los que escriben para vivir y los otros. Yo estoy entre los primeros. Me gusta escribir, quiero hacerlo bien; quiero vivir de la escritura, pagar mis gastos y mis deudas escribiendo. Pero nada más. Es mi trabajo. Mi profesión. Yo escribo para vivir. No tengo otra ambición. Estoy más cerca del periodismo que de la literatura. Del otro lado, en el otro grupo, están los que desean *ser* escritores, los que quieren escribir libros. Ellos suelen ganarse la vida de otra forma. No saben lo que es estar atornillado en una silla, frente a una computadora, escribiendo todos los días diez horas seguidas. Ellos se relacionan con las musas, nosotros lidiamos con un jefe. Ellos esperan a la inspiración, nosotros debemos cumplir un horario. Tenemos más deudas que vanidad. Para ellos la escritura no es una industria, no es un trabajo, sino otra cosa, un hobbie o una religión; un juego, una distracción, o un acto creativo, revelador, que los conecta con las dimensiones profundas del ser. Pura hojarasca. Nada de eso me interesa. Me parece inútil, baladí. Los que vivimos de escribir no buscamos trascendencia sino dinero.

Yo tenía un trabajo temporal en la biblioteca nacional. Sólo debía cumplir mi turno y atender a los usuarios en la sección de «libros raros». Poca gente iba a consultar esos ejemplares: algunos investigadores, profesores, estudiantes, nadie más. Eso me parecía fantástico, me daba mucho tiempo para leer y para estrujarme detrás de los estantes con Moraima, una estudiante de Bibliotecología que trabajaba en la sala de al lado. Todavía puedo recordar muy vívidamente los gestos apremiados y torpes, mientras nos desnudábamos a medias, tocándonos, de pie, besándonos, con la excitación del momento y el temor de ser descubiertos, apoyados contra un estante, envueltos en ese maravilloso y profundo olor de los libros. Una tarde, estábamos dedicados a esas faenas, Moraima con la espalda doblada hacia adelante se apoyaba en un estante, yo de pie la penetraba por detrás, cuando de pronto, frente a mi rostro, en un tramo de uno de los libreros se abrió un espacio y desapareció un libro. Sentí una ráfaga de frío por dentro, pero no pude detener el movimiento. Del otro lado del estante, se asomaron los dos pequeños ojos del profesor Massiani. Sus pupilas se movieron, con cierto asombro, como dos insectos atrapados dentro de dos bolsas de plástico. Yo intenté una sonrisa y dejé de moverme inmediatamente. Massiani siguió mirándome. Dijo algo sobre un libro de Salustio González Rincones. Lo dijo bajito. Yo lo oí, pero Moraima no. Sus nalgas se seguían moviendo, golpeándose acompasadamente contra mis caderas. Traté de ensayar una mueca de circunstancias. «¿Qué pasa, papi?», preguntó de pronto Moraima, casi doblada sobre el suelo, en medio de un jadeo. Los ojitos del profesor Massiani se movieron, temblaron levemente dentro de sus bolsas.

A los dos días me botaron de la biblioteca nacional.

Moraima mantuvo su puesto, jamás perdió su empleo. Nunca supe cómo lo había logrado. Ella siempre guardó un discreto silencio con respecto al tema. Tal vez por eso, ganada por una velada mala conciencia, se empeñó en presentarme a Agustín, su hermano mayor, quien estudiaba en la Escuela de Artes y trabajaba como libretista en un canal de televisión. Moraima había leído alguno de los textos que yo publicaba, le parecían divertidos, sobre todo, muy originales. «Él es Manuel y escribe muy bien», así me presentó Moraima. Así conocí una tarde, en un café del boulevard de Sabana Grande, a Agustín. Así también terminé entrando a trabajar en la televisión.

Unos meses después de nuestro primer encuentro, luego de leer algunas de las crónicas que yo escribía y cuando por fin hubo una vacante en su equipo, Agustín logró que el canal me contratara. Empecé como dialoguista. Eso es lo primero que uno hace en este oficio. Antes del primer día de trabajo, Agustín y yo nos reunimos. Fue él quien me invitó a tomarnos un café y a conversar. Estaba en plan didáctico. «Los escritores de verdad –me explicó, alzando los dedos y colgando del aire unas comillas– desprecian este oficio, piensan que es algo cochino, sucio, muy menor. Por eso la mayoría de los que escriben telenovelas son otra cosa.» La frase me dejó asombrado. Escritores que escriben pero no son escritores sino *otra cosa.* «Aquí –continuó Agustín– escribe gente que estudió Matemáticas, hay actores escribiendo, asistentes de dirección, amas de casa sin oficio, secretarias que de tanto copiar libretos viejos se hicieron expertas en escenas y en diálogos de teleculebras... » Ese breve silencio, esos tres puntos suspensivos que Agustín puso a rodar entre nosotros, también me llenó de asombro: ¿qué quería decir? ¿Que entonces yo, un tipo como yo, un sociólogo que jamás había escrito nada serio, era también un candidato ideal para ese oficio? ¿Qué si un ama de casa o una secretaria escribían libretos yo también podría hacerlo?

Agustín era dramaturgo. Había escrito un par de obras de cierto éxito de crítica y de público, y otro par bastante malas, según él mismo decía. Había entrado en la televisión hacía ya tiempo, de la mano de un director teatral. Después de pasar varios años como dialoguista, en ese momento ya estaba considerado un joven autor de telenovelas. «La lógica de trabajo es muy simple. Están los autores, lo que tienen una idea y la desarrollan; los que inventan qué va a pasar cada día, en cada capítulo, escena por escena. Y luego están los dialoguistas, los que escriben esas escenas, los que las dialogan. Eso es todo.» Agustín en ese momento era jefe de un equipo, estaba comenzando una adaptación y necesitaba un dialoguista. «Necesito un tipo como tú», me dijo. Ya tenía dos mujeres libretistas. Una era una exsecretaria y la otra una vieja guionista de planta. «Por eso te digo que alguien como tú sería ideal en el equipo. Necesito a un dialoguista que se encargue de las escenas más masculinas, ¿entiendes?»

Le dije que sí. Por supuesto. Aunque no entendía demasiado bien. Tampoco estaba seguro de querer ser libretista. Sólo sabía que necesitaba un trabajo.

Pocos días después ya estaba escribiendo *Enamorada*, una historia de pasión y suspenso que se transmitía a la diez de la noche. Era un *remake* de una vieja telenovela, escrita hace quince años por un autor de Puerto Rico, quien a su vez se había inspirado en una radionovela cubana de principios del siglo XX. La obra original se llamaba *La mujer comprada* y era casi tan insólita como la versión que estábamos escribiendo. En su lecho de muerte, en tierras extranjeras, un hombre le deja a su hijo un designio terrible: vengarse de una familia enemiga. Le dice que esa familia arruinó sus vidas y le exige, además, que le jure que los destruirá. De pasada, en el mismo paquete, este amoroso padre también le hereda al hijo un odio visceral hacia las mujeres. El joven regresa a su país, decidido a cumplir su promesa. Pero, en el mismo aeropuerto, apenas llegando, conoce a una muchacha encantadora que logra derrumbar, con una sola sonrisa, todas sus aprensiones. Se enamora perdidamente de ella. Al final del primer capítulo descubre, aterrado, que la mujer de su vida es parte de la familia enemiga, a la que él ha venido a arruinar, a pulverizar. Es una ley implacable del melodrama: el objeto de tu venganza es, también, el objeto de tu amor. El galán está obligado a destruir lo que desea. En la adaptación que estaba haciendo Agustín, el protagonista quebraba económicamente a la familia enemiga, para ejecutar su venganza proponiendo un trato comercial donde él perdonaba parte de la deuda a cambio de que la hermosa hija de la familia enemiga se casara con él. Me costaba entender cómo todo este enredo de truculencias podía llamarse tan sólo *Enamorada.*

«Perdóname –le comenté a Agustín el primer día de trabajo–. Toda esta historia es absurda.»

Agustín estuvo completamente de acuerdo. Me habló, sonriendo, divertido. «No te preocupes –me dijo–, así son las telenovelas. ¡Y la gente las ve!»

Me senté frente a la vieja máquina de escribir. Tenía todos los dedos tiesos, como si fueran de madera. «Te voy a poner sólo una escena hoy», había dicho Agustín. «Para que vayas probando. Es una escena sencilla: Luis Fernando entra a un bar y ahí está Eduardo Antonio. Tienen una discusión y casi se caen a golpes. ¿Recuerdas lo que te dije de la onda masculina?»

Pedí una segunda copa de jerez mientras seguía esperando a Quevedo. Hacía tiempo que no disfrutaba del placer peculiar de estar sentado en una barra viendo pasar la gente. Con el tiempo, la contemplación se transforma en un verbo cada vez más activo y delicioso. Cuando hace años le anuncié a mis amigos que comenzaría a trabajar en la televisión, las reacciones de inmediato se dividieron. En un lado, donde abundaban mis amigas, se juntaron las voces críticas que pensaban que la televisión era un asco, que sólo reproducía la cultura dominante y el mal gusto, que embrutecía a la gente y promovía toda clase de antivalores. En el otro lado, donde abundaban los hombres, se minimizaba cualquier cuestionamiento y se celebraba mi ingreso a la industria. Mis amigos tenían grandes fantasías sobre las actrices que conocería y que, de seguro, terminaría llevándome a la cama. Para ellos, yo estaba ya en la antesala de un desnalgue innenarrable. No me habían ofrecido un trabajo sino una orgía.

Me demoré casi tres horas escribiendo la escena sencilla entre Luis Fernando y Eduardo Antonio. «Y tan fácil que es caerse a golpes», pensaba. Escribir es más complicado y difícil que vivir. Trabajábamos en una pequeña oficina. Todos los libretistas juntos, cada uno detrás de una mesa minúscula, cada quien con una máquina de escribir. Parecía que estuviéramos en un taller de costura. Las otras dos libretistas, las mujeres de las que me había hablado Agustín, tecleaban a toda velocidad. A veces, sin levantar la vista, intercambiaban algún comentario. Celia, la más joven de las dos, una señora robusta cercana a los cuarenta, me dijo amablemente que si tenía cualquier duda la consultara, ambas estaban completamente a la orden. Yo se lo agradecí, con cierto disimulo, tratando de no delatar demasiado mi naturaleza bisoña, mi novatería. Agustín estaba en el piso tres, en una reunión con el gerente de Dramáticos. Por primera vez sentí el vértigo de la página en blanco. Ahí estaba la hoja, asfixiada por el rodillo de la máquina de escribir, esperándome. Vivíamos todavía en esa antigüedad sin monitores, sin computadoras.

Ya había leído varios libretos y tenía idea del formato. No era complicado. Las acciones y acotaciones se escribían en mayúscula, en línea recta y sin ninguna sangría especial. Los diálogos al centro, en minúsculas. Había que identificar antes la escena y ya. El resto era escribir. ¡Ah! ¡Escribir!

ESCENA 13.– EXT–INT. BAR EL GALLO DE ORO. DÍA

EDUARDO ANTONIO ESTÁ ACODADO EN LA BARRA TOMANDO CERVEZA. ESTÁ DE ESPALDAS A LA PUERTA. CERCA HAY UNA ROCKOLA. EN UNA ESQUINA, EN UNA MESA, VARIOS PERSONAJES JUEGAN DOMINÓ.

LUIS FERNANDO (OFF):
¿Qué se supone que haces aquí, Eduardo Antonio?

AUDIO: ACORDE.

EDUARDO ANTONIO SE TENSA Y COMIENZA A VOLTEAR.
LA CÁMARA ABRE Y DESCUBRIMOS QUE AHÍ, A ESPALDAS DE EDUARDO ANTONIO, ESTÁ LUIS FERNANDO. TAMBIÉN TENSO. MIRÁNDOLO.

AUDIO: ACORDITO.

TODOS LOS OTROS PERSONAJES SE MIRAN, TEMIENDO ALGO. DEJAN DE JUGAR. ALGUNOS SE RETRAEN.
EDUARDO ANTONIO SE INCORPORA. LUIS FERNANDO SE ACERCA AÚN MÁS. LOS DOS SE MIRAN CON RABIA.

LUIS FERNANDO:
¿No te dije que no regresaras?

EDUARDO ANTONIO (RECIO, LE SOSTIENE LA MIRADA):
Sí, me lo dijiste... (PAUSITA, DESAFIANTE) Pero aquí estoy... ¡Ni tú ni nadie me va a prohibir ver a María Soledad!

AUDIO: ACORDE.

Así comenzaba una de las escenas que yo había leído en alguno de los capítulos ya escritos que Agustín me había facilitado. Ya ese par de idiotas se habían encontrado, en ese mismo bar, varias veces, en la misma situación, con la misma rabia, con esas mismas miradas torcidas. Ya se habían preguntado y respondido lo mismo, con un idéntico tono, además. Ya se habían amenazado, se habían gritado, se habían empujado, se habían incluso dado unos manotazos... En las telenovelas casi todo ya ha sido escrito, una y otra vez, mil veces. Casi nunca se dice algo nuevo. Yo no tenía que escribir una escena sino transformarla, lograr que una escena ya escrita infinitamente pareciera de pronto una novedad. Y Agustín quería, además, que fuera una novedad masculina. El vértigo de la página en blanco comenzó a parecerme un problema de género. En ese momento, apareció en la puerta Beatriz Centeno. Fue la primera actriz que vi tan de cerca. Quizás eso me marcó, no lo sé. Quizás eso definió nuestra historia, todo lo que ella y yo hemos vivido y hemos dejado de vivir durante todos estos años.

Yo la conocía pero de lejos, la había observado en algún programa, en alguna nota de prensa, posando en bikini en la portada de una revista. Era una belleza. Una de las expresiones que más me gusta, a la hora de describir a una mujer muy hermosa, es la que sentencia que dicha mujer está «podrida de buena». Es el mejor oxímoron de nuestra identidad. Beatriz Centeno estaba podrida de buena. Vestía normal, como si fuera una estudiante de la universidad, traía unos libretos en la mano y quería hablar con Agustín. Celia le dijo que Agustín estaba arriba, en una reunión con la gerencia. De paso, aprovechó y me presentó. Yo era el nuevo dialoguista del equipo. Beatriz Centeno me dedicó una sonrisa y yo quedé alelado, boquiabierto. Quizás tan sólo mugí levemente. Fui un rumor. Cuando se fue, me enfrenté a la maldita página en blanco con un vigor inusitado. En treinta y cinco minutos escribí mi primera escena.

Ese mismo día me volví a encontrar con ella, horas más tarde, saliendo del canal. Pero ya no me saludó. Yo la miré fijamente, como si pudiera así acorralar su memoria. No funcionó. Beatriz Centeno no se dio por enterada. Ella sabía que yo la estaba mirando, pero se hizo la desentendida. Una mujer siempre sabe cuándo la miran. Puede sentirlo. Las mujeres son expertas en percibir y descifrar las miradas de los hombres. Es un sentido especial, distinto a los sentidos conocidos. Pueden sentir cuándo hay una pupila masculina detenida, posándose, sobre alguna parte de su cuerpo. Yo he gastado mucho tiempo poniendo a prueba esta teoría. Rara vez falla. En la barra, volví a comprobarlo. De pronto entró una mujer y se detuvo cerca, mirando hacia el salón principal y hacia los patios, sin duda buscaba a alguien. Estaba de espaldas a mí. Tendría poco más de treinta años, llevaba un pantalón blanco, ajustado perfectamente a su cintura, y una camisa azul, ligera, con mangas cortas. Yo miré sus caderas. También el inicio de su espalda. Detallé la curva que se alzaba hacia sus hombros. En un momento, ladeó su cuerpo y pude verla de costado, aprecié sus senos, agradecí que fueran naturales, de tamaño normal. Me pareció que estaba divina. Volvió a ponerse completamente de espaldas. Colgué ahí mis ojos por unos segundos, dejándome arrastrar por el suave vaivén que marcaba su respiración, el leve movimiento de su cuerpo mientras rotaba su espera de una pierna a otra. Y entonces, de pronto, la mujer giró, no llegó a voltearse del todo pero sí alcanzó a mirarme, de medio lado. Un vistazo rápido y fue suficiente. Había un reclamo tan certero en sus ojos. Era tan evidente que había sentido el peso de mis pupilas en sus caderas, en su espalda, en sus hombros. Sabía perfectamente que, desde hacía unos minutos, traía a alguien pegado, que arrastraba un cuerpo detrás de ella. Para cualquier mujer, la mirada de un hombre tiene peso, volumen. Su sentido táctil está mucho más desarrollado. Saben cuándo traen otros ojos adheridos a alguna parte de su figura. Saben cuándo un deseo las vigila.

Hubiera podido seguir recordando y mirando mujeres, pero de pronto apareció Quevedo frente a mí, con una sonrisa de circunstancias y una carpeta en la mano. Ingresó a mi campo de visión y se quedó quieto, mirándome. Si esto fuera un libreto, escribiría:

DE REPENTE, QUEVEDO ENTRA A CUADRO.

QUEVEDO (ALGO INCÓMODO):
Perdona el retraso... ¡El tráfico hoy está terrible!

IZQUIERDO (DISIMULA, MIENTE).
No te preocupes... Yo acabo de llegar...

QUEVEDO:
¡Perfecto! (MIRA FUERA DE CUADRO, HACIA LAS MESAS) ¿Nos sentamos? (VOLTEA HACIA IZQUIER-

DO CON CIERTA INTENCIÓN) Tenemos cosas importantes que conversar...

AUDIO: ACORDE.

LOS DOS SE MIRAN, TENSOS.

Desde que lo vi, supe que tendríamos problemas. Aunque intentaba ser simpático, lucir cordial, había un fondo de preocupación debajo de sus ojos. Traía un estorbo en cada gesto. Algo le molestaba y, sin lugar a dudas, ese algo estaba en la carpeta. Era un objeto atragantado entre los dos, una forma que desentonaba, que se había fugado de otro relato y que de pronto se había instalado entre nosotros. Hasta que por fin Quevedo decidió enfrentarlo. «Vamos a salir de esto de una vez, Manuel», me dijo. Extendió la carpeta, me conminó a leerla. Era mi contrato. Lo coloqué al lado de mi plato, mientras el mesonero nos servía una ensalada César de lechuga y berros. «Me lo enviaron del departamento legal», sólo agregó, mientras hundía la nariz de su cuchillo en la piel verde de una lechuga. Dejó que mi lectura hiciera el resto.

Al final de sus días, cuando ya vivía sobrio, Scott Fitzgerald escribió una serie de relatos que tenían siempre el mismo personaje: Pat Hobby. Hace años, cuando me dio una crisis y sentí unas, tan estúpidas como repentinas, ganas de escribir libros, tuve la suerte de tropezarme con esa breve recopilación de cuentos. Cada vez que me sorprendía el ansia de sentarme a escribir un relato, salía disparado a la biblioteca, tomaba el ejemplar de Fitzgerald y me sentaba a leer. Ahí estaba todo lo que yo quería contar. Eran un poco reiterativos a veces, se hacía evidente que se trataba de cuentos sueltos, escritos para ser publicados en distintas revistas, pero eran absolutamente geniales. Después de leerlos, terminaba convencido de lo inútil que podía resultar cualquier esfuerzo literario de mi parte. Podía incluso considerar esos textos una forma de mi autobiografía, una autobiografía ya escrita por otro, con más tino y con más talento.

Pat Hobby es un viejo guionista de Hollywood, ya fracasado y sin futuro, que trata de sobrevivir de cualquier manera en el negocio. Casi siempre le va mal. Termina siendo un hombre mezquino, triturado por la misma dinámica del negocio. Lo recordé mientras releía con los ojos mi contrato. Eso recuerdo también ahora, a la luz de un café, mientras escribo. Para eso era la comida. Internamente, la fábrica de las telenovelas no es nada sentimental. Era el contrato que firmé el año pasado, el mismo que acabo de releer tres veces, muy despacio, tomándome este café negro, descafeinado por supuesto. Hay una cláusula que me obliga a hacer todo lo que el canal me proponga. Un párrafo, subrayado en amarillo, recuerda que donde dice «todo» debe entenderse legalmente todo. Hay otra cláusula penal con varios ceros de multa. Pat Hobby vaga por los pasillos, de los estudios de Hollywood y del libro de Fitzgerald, repitiendo siempre lo mismo: esto no es arte, esto sólo es una industria.

Cuando levanté la vista, Quevedo estaba masticando. Volvió a sonreír. «La ensalada está buenísima. Pruébala», me dijo.

6

Las primeras reuniones se realizan en la sala especial de la junta directiva en el piso tres del canal. Es una oficina amplísima, sobria y elegante, con las paredes pintadas de un gris pálido, suave. Los muebles son de diseño, todo en cuero, metal y también vidrio. En una larga pared descansa una inmensa pantalla de plasma, acompañada por equipos de última tecnología. Un servicio de mesoneros uniformados ofrece café y agua cada media hora.

–Esto me recuerda el comienzo de *Santa Pecadora* –comenta, con leve ironía, Manuel Izquierdo.

Diez años atrás, en otra de las crisis de audiencia, el canal le había encargado al libretista inventar una historia trepidante, un relato agresivo, capaz de medirse y vencer a la exitosa teleculebra que se mantenía en primer lugar de sintonía en el canal 9. La competencia estaba ganando con una propuesta tradicional, cuyo proyecto argumental era la restitución de la familia. Era un melodrama conservador, centrado en una protagonista clásica, una muchacha buena, humilde, honesta, y virgen, obviamente, muy virgen, virgen hasta en las vocales, que se enamora de un hombre rico que, por desgracia, ya está casado. Rosalinda, se llamaba. Rosalinda se llamaba la muchacha y también la telenovela. Si bien su amor era puro, su moral era todavía más pura y contundente. Rosalinda decidía sacrificar sus sentimientos antes que destruir un hogar ya constituido. Lo que ella no sabía era que, a su vez, en secreto, el hombre de su vida también se estaba sacrificando, se había casado por obligación, con una mujer mayor que él, una villana que tenía el poder de arruinar a su familia en cualquier momento.

–¿Qué cantidad de mierda hay que tener en la cabeza para ver un bodrio como ése? –había preguntado Izquierdo en aquella ocasión.

Nadie le dio una respuesta precisa. La mediocridad no se mide, no tiene límites, siempre puede ser más. Querían otra basura igual, o peor, o mejor, no importaba; necesitaban ganarle a Rosalinda como fuera. De cualquier manera. Ésa era la única instrucción. Ése era el desespero. Reunieron a todos los escritores de la planta, les plantearon la emergencia, les pidieron que en tres días cada uno hiciera una propuesta. Fue entonces cuando Manuel Izquierdo se presentó con su idea. No trajo un papel, no escribió una sinopsis. Casi al final de la reunión, cuando le llegó el turno de tomar la palabra, Izquierdo dijo que, en televisión, las buenas ideas son las que se pueden resumir en una sola línea.

–Yo creo que hay que atacar de frente, con una historia cruda, con un escándalo. Yo les propongo la historia de una monja que se mete a puta –dijo.

Así nació *Santa Pecadora*.

–Al principio fue igual –Izquierdo se dirige directamente al joven Manzanares–, como ahora, aquí –el libretista lame las palabras, las estira hasta conseguir un tono burlón–, en el salón especial, en el piso tres, donde se reúnen los vicepresidentes ejecutivos... Éramos la gran esperanza, el milagro, todo el mundo nos saludaba, nos celebraba. Pero después, cuando comenzaron a llegar los resultados del *rating* y el canal vio que no le hacíamos ni cosquillas a Rosalinda, todo cambió. A la primera semana, ya éramos unos mal vestidos en el piso tres. A la segunda semana, nos bajaron a una oficina del piso uno. A la tercera semana, todo el mundo hablaba pestes de la telenovela y de mí, por supuesto; todos supuestamente me lo habían advertido, todos supuestamente ya lo habían señalado, todos supuestamente sabían desde el principio que *Santa Pecadora* iba a ser un fracaso.

–Ya, ya, Manuel. Tampoco exageres. –Quevedo intenta matizar el sarcasmo, luego se voltea hacia Pablo, en plan de ofrecerle una explicación–: Es una ley de la industria, Pablito. El éxito tiene muchos padres, el fracaso es huérfano.

El joven mira entonces a Izquierdo, esperando su respuesta, otro comentario ácido que cuestione lo que acaba de decir el vicepresidente de Proyectos Especiales. Pero sólo se encuentra con una mueca amarrada en el rostro del guionista. Izquierdo sostiene una sonrisa burlona entre los labios. No deja de mirarlo.

–¿Pablito? –repite, con sorna.

Estuve a punto de pararme ahí mismo y de salirme de una vez de la oficina. De la oficina, del canal, de ese maldito trabajo en el que me metió mi mamá. Lo que me molestó fue la cara de Manuel Izquierdo. Su mirada. Como diciéndome: ¡y encima te dicen Pablito! ¡Ay, carajo! Cuando se lo conté a Randy, él de inmediato sacó la rima, estaba ahí mismo, fácil, de a toque: Pablito-mariquito. Eso fue lo único que le faltó decir a Izquierdo. Pero tampoco tenía necesidad de hacerlo. Con su mirada me lo dijo. Con la sonrisa. También hay palabras invisibles, que están ahí, aunque nadie nunca las diga. Suenan sin sonidos. No sé si me explico.

Yo pasé el resto de la reunión de mal humor, como si en el fondo de mi cuerpo tuviera un animal dando vueltas, gruñendo. Y lo peor es que me tocó hablar, el señor Quevedo me pidió que contara cómo iba lo del *casting*. A Izquierdo le pareció muy divertido el relato de mi trabajo de exploración. Se rió en varias ocasiones. Pero también hizo algunas preguntas, como si en realidad estuviera interesado en el tema, en la experiencia. Es un hijo de puta. Hizo unos chistes burlones, dijo que por qué no poníamos un aviso clasificado en la prensa. Se solicitan indigentes para actuar en programa de televisión, eso decía, cuajado de la risa. El señor Quevedo sonreía pero por puro disimulo, era obvio que no le gustaba para nada su actitud. Pero, al final, se impuso. Tampoco permitió que el tema perdiera seriedad, sólo dejó que Izquierdo se divirtiera un rato y después dijo se acabó, no con esas palabras, pero sí fue un se acabó y ya basta, pidiéndome que hiciera un resumen de todo lo que yo había hecho.

Quizás, si Izquierdo no hubiera estado ahí, o quizás si Izquierdo no fuera tan mala leche, yo lo habría contado todo. Me lo callé porque no quería exponerme, no quería darle más chance a Izquierdo. Además, fue una cosa que hice aparte, por mi cuenta, con Randy. Tiene y no tiene que ver con lo del programa, pero tal vez hubiera servido de algo. A Randy le interesó el tema de los mendigos. Él dice que quiere escribir una novela sobre mendigos. Randy también es narrador. Aunque hasta ahora sólo ha escrito un cuento. Yo lo leí, es bueno. A Randy le gustan las historias fuertes. Ese cuento es sobre unas putas que le cortan la pinga a un policía. Es durísimo. Uno se lo imagina todo clarito. Uno va leyendo y tiene que cerrar los ojos, o más bien, cerrar las piernas, juntar las rodillas, porque ve la escena perfectamente, porque siente la navaja ahí.

A Randy se le ocurrió la idea de que fuéramos a husmear debajo de uno de los puentes que quedan cerca de la universidad. Él dijo husmear. A mí jamás se me hubiera ocurrido usar esa palabra.

Randy tiene un primo que es policía. Le dicen Chuleta. Nunca he sabido cómo se llama en verdad, y de nada serviría saberlo, todo el mundo lo llama Chuleta. Es como si hubiera perdido el nombre. Fue Chuleta quien le habló a Randy de ese lugar. Debajo de ese puente hay una ciudad llena de mendigos, algo así dijo. Un jueves en la noche nos llevó. Nos pasó buscando por la universidad, luego dimos algunas vueltas en el carro de Chuleta, un viejo Malibú descascarado. Tan viejo que tenía casetera. A buen volumen, sonaba un conjunto de música evangélica. A ritmo de salsa ligera, escuchábamos una versión rítmica de la parábola del hijo pródigo. Eso me lo había advertido Randy desde el principio: Chuleta se había pasado a la religión. Ésas fueron sus palabras, así lo dijo. Un día llegó a su casa y se puso a gritar que estaba harto, que lo dejaba todo. Y así fue. Dejó el alcohol, dejó el cigarrillo, dejo la coca, dejó hasta a su mujer y a sus hijos, y se fue a vivir a una pensión del centro. Ahora siempre anda con un cigarrillo, partido por la mitad, entre los labios. Nunca lo enciende, pero tampoco nunca lo suelta. Chuleta miraba hacia la noche, con el cigarrillo colgando en una esquina de su boca. Del espejo retrovisor guindaba un escapulario morado. Tampoco hablaba mucho. Nos preguntó para qué queríamos ir a ese lugar. Randy le contó que queríamos escribir algo ambientado en lugares así. No le dijo nada del programa, ni que yo trabaja en televisión, en eso habíamos quedado. Sólo le dijo que teníamos un interés literario. Chuleta me buscó con la mirada, a través del espejo retrovisor. Supongo que le pareció raro. Randy insistió, le contó un poco su idea de escribir una novela sobre una banda de indigentes que se organiza y logra controlar toda la ciudad. Chuleta escuchaba en silencio, al final sólo asintió y, después, le subió un poco el volumen a la música.

Era verdad. Había un barrio debajo de ese puente. Parecía que caminábamos dentro de una cueva de una película de ciencia ficción. Sobre nuestras cabezas, se repetía el ruido de los automóviles, cruzando por la autopista. De vez en cuando, también sonaba alguna corneta. Nos detuvimos a la entrada, no había nadie. Nuestros pasos producían un eco metálico. Apenas el resplandor diminuto de una bombilla, ahorcada en un cable descuidado, pegada a un muro, iluminaba de manera desigual el pasillo en donde nos encontrábamos. Todavía estábamos en la entrada. Hacia adelante, se abría todo el espacio, lleno de sombras y pequeñas luces, había casas más establecidas, construidas con bloques y cemento, otras eran una simple reunión de tablas y planchas de zinc. Frente a una de ellas, alguien había dejado una hornilla de gas encendida. Sobre ella reposaba una vieja olla de la que todavía salía un poco de humo. Pero todo el lugar olía a moho, a una humedad sucia. A lo lejos, se escuchaba el ruido de una radio. Parecía que transmitían un juego de béisbol.

¿Usted está seguro de que es acá?, pregunté, sin mirarlo, cada vez más asustado.

Ajá, escuché que dijo Chuleta. Pero sentí que también estaba alerta. Randy se encontraba muy cerca de mí. Miraba todo con una rara sonrisa. Parecía excitado.

Shhh. Algo así dijo Chuleta, de pronto.

Después todo ocurrió demasiado rápido y al mismo tiempo: gritos, ruidos, movimientos, hasta un disparo. Fue el propio Chuleta quien disparó, justo antes de gritar coño, carajo o no sé qué más. Ni siquiera sé si dijo ¡corre!, pero yo sí escuché ¡corre!, un ¡corre! durísimo, urgente. Y de pronto nos vi a Randy y a mí corriendo como locos. No observamos ni dijimos nada, sólo corrimos. Porque lo único que había eran sombras. Randy dice que él vio una figura con un machete. Que ahí había alguien. Quizás lo imaginó. Alguien se movió cerca, tenía un objeto brillante en la mano, te lo aseguro, eso repetía Randy. Yo sólo recuerdo que el sudor me quemó. Eso debe ser la adrenalina, adrenalina en estado puro. Pero por supuesto que no me paré a esperar nada, a escuchar nada, a ver bien qué estaba pasando. Salimos disparados hacia el carro que estaba estacionado sobre una acerca, a media cuadra del puente. Los dos llegamos antes que Chuleta. Ahí fue cuando sonó el disparo. Ahí fue cuando me cagué de verdad. Me congelé, así mismo, con la mano pegada a la puerta del carro, con la boca abierta, y ese frío que me ardía por todo el cuerpo. Ay, carajo. Miré a Randy. Creo que él estaba igual que yo. Pálido. Randy es moreno pero estaba pálido. Cuando Chuleta apareció jadeando desde las sombras, casi corrimos a abrazarlo. Nunca vi a nadie, nunca supe qué nos amenazaba, pero obviamente algo pasaba, nos rodeaba una sensación de peligro, había una tensión en el aire, en la noche; un peligro agazapado, como si las sombras pudieran hacernos daño en cualquier momento. Chuleta traía en la mano derecha una pistola. Con un gesto nos indicó que nos metiéramos en el carro. Tampoco nos dio más explicaciones. Gritó tres o cuatro insultos. Cabrones, dijo. Hijos de puta. Malditos maricos, también dijo. Cosas así. Y luego se colgó un cigarrillo entre los labios, el mismo cigarrillo partido por la mitad que nunca enciende. Apenas prendió el carro, también comenzó a sonar la vieja casetera. La canción decía que Dios no nos abandona jamás.

La televisión logra que los absurdos más enormes a veces nos parezcan sensatos, coherentes. Ésa es su misión, su destino: ofrecer una lógica. Diariamente inventa, produce o reitera distintos sentidos de realidad. Los hace digeribles, potables. La televisión vuelve verosímil cualquier cosa, incluso un proyecto como el de Quevedo. Quizás, en el fondo, esa descabellada idea de hacer un *reality show* con indigentes no es tan diferente a todos los otros proyectos en los que he estado desde que comencé en el canal. Quizás los tiempos cambian y ya ni siquiera me doy cuenta.

Cuando acabó la segunda telenovela para la que escribí, quedé de pronto sin trabajo concreto, sin nada por delante. Ya era un dialoguista, tenía bastantes capítulos en mi expediente, y necesitaba que el canal me asignara a otro equipo, a otro proyecto; o que, si no, algún otro autor o adaptador me pidiera, requiriera mis servicios. Después de dos semanas, la licenciada Guzmán, de Recursos Humanos, me notificó que, a partir del lunes siguiente, comenzaría a trabajar en el equipo de *Primavera*, la nueva obra de Teresa De La Fuente. No tenía ni idea de quién era ella. De entrada, hasta su nombre me pareció de telenovela, pensé que de seguro se trataba de un pseudónimo, de un nombre artístico, acorde con el melodrama tradicional. Cuando la conocí, me pareció una señora mayor, una mujer en avanzado estado de descomposición. Ahora me resulta una apreciación injusta: casi estoy a punto de escribir que era una mujer joven, apenas tenía sesenta años. Hablaba con afectación, apretando o estirando excesivamente algunas letras. Pasaba horas con el codo apoyado en el lomo de su máquina de escribir, meditando en las secuencias de cada capítulo, inventando las escenas que tendríamos que dialogar. Se mantenía casi inmóvil, en esa posición que imitaba al pensador de Rodin, con la mirada extendida hacia la única y pequeña ventana que había en la oficina. Los tres libretistas del equipo, mientras tanto, esperábamos. Teresa De La Fuente creía en la inspiración.

La labor de todo jefe de equipo consiste fundamentalmente en «diagramar». Se trata de inventar la estructura narrativa de cada capítulo, escena por escena, poniendo en pocas líneas qué sucede, qué personajes se juntan, de qué hablan... Casi siempre, el mismo autor reparte entre sus libretistas esas escenas. Ahí comienza la fábrica de la escritura. Luego se juntan todas las partes, el autor ensambla y corrige, revisa y ajusta, y manda finalmente el capítulo al productor. Así, día tras día, a lo largo de todos los meses que dure la telenovela. *Primavera* tuvo trescientos dieciocho capítulos. Teresa De La Fuente, día tras día, creaba un nuevo absurdo, otra situación que a ella le parecía muy dramática y a mí me resultaba muy descabellada. La más truculenta e incoherente que recuerdo es la situación con la médula. Primavera Martínez, la protagonista de la historia, había dado a luz a una pequeña niña. Ya llevábamos más de ciento cincuenta capítulos. La niña era hija del protagonista, algún Pedro Antonio o Francisco Ernesto que ahora no recuerdo. Pero él, obviamente, no lo sabía. Él creía que la niña era la hija de otro hombre, del villano de la historia, por supuesto, su rival, un personaje tan perverso que se levantaba cada mañana preguntándose: «¿Cómo puedo hacerle daño hoy a Primavera?»

A esta niña, inocente de todo, a la vuelta del capítulo ciento sesenta y tres, pongamos, con apenas cuatro añitos de edad, le descubren de pronto una leucemia fatal. Sin saber que es su propia hija, por puro noble corazón, por puro amor a Primavera, el galán de la historia decide cederle una porción de su médula. Se ofrece como donador para un trasplante. El villano, aliado con la mala de la historia, hace lo imposible por impedir que la operación milagrosa ocurra. Por más de quince capítulos, Teresa De La Fuente tuvo a la malvada de la telenovela cargando una cava de plástico en cuyo interior, envuelta en hielos secos, estaba una porción de médula del protagonista, la porción de médula que podía salvar la vida de la pobre niña, quien, desdichada, agonizaba mientras tanto en una sala de terapia intensiva de un hospital.

A mí me costaba aguantar la risa cuando leía las diagramaciones. Me parecía increíble que pudiéramos estar escribiendo una secuencia tan asombrosamente delirante. Veía a Teresa De La Fuente, apoyada en su máquina, con las pupilas extraviadas en los cristales de la ventana, raptada por la emoción del melodrama. Así iba imaginando cada escena.

CAPÍTULO 163

DIAGRAMACIÓN

7,193 ESCENA 1.– INTERIOR. HOSPITAL. OFICINA DOCTOR ROBLES. DÍA

EN SECUENCIA CON CAPÍTULO ANTERIOR, RETOMAMOS LA SITUACIÓN. EL DOCTOR ROBLES REITERA SU DESPRECIABLE INSINUACIÓN: ÉL PUEDE SALVAR A LA NIÑA, CONSEGUIR OTRA MÉDULA, PERO, A CAMBIO, PRIMAVERA DEBE ENTREGÁRSELE, DEBE SER SUYA. PRIMAVERA, CON EL ALMA LLENA DE ANGUSTIA Y CON LOS OJOS LLENOS DE LÁGRIMAS, SE CONTIENE,

LE DICE AL DOCTOR QUE ES UN COCHINO, QUE LO QUE LE ESTÁ PROPONIENDO ES UN ASQUEROSO CHANTAJE. LE PREGUNTA CÓMO PUEDE JUGAR ASÍ CON LA VIDA HUMANA. EL DOCTOR ROBLES LE RESPONDE QUE ÉL SÓLO ESTÁ LUCHANDO POR LO QUE SIENTE, QUE ÉL ESTÁ HACIENDO TODO POR ELLA. «PIENSALO, PRIMAVERA», LE DICE... «TÚ PUEDES SALVAR A TU HIJA.» Y SALE DE SU OFICINA, DEJANDO A PRIMAVERA PENSATIVA, SUFRIENDO, INDECISA.

CORTE A:

A partir de esa información, el dialoguista debía escribir, recrear, inventar, una escena, con sus personajes, sus movimientos, sus conversaciones. Cada capítulo de una hora puede tener, dependiendo del tipo de telenovela y del estilo del escritor, entre treinta y cinco y cuarenta escenas. Así, una tras otra, Teresa De La Fuente diseñaba cotidianamente nuestras jornadas de trabajo. Cada día que pasaba, yo me sentía más admirado ante las infinitas posibilidades de incoherencia que podía tener un folletín televisivo. Pero la audiencia no parecía darse cuenta. No le importaba nada de eso. La lógica estaba en otro lado. Una vez, con cierto ánimo verista, le pregunté algún detalle científico sobre los trasplantes de médula a la autora de la obra. Teresa De La Fuente me miró de arriba abajo y luego, con piadosa autoridad, me dijo: «En el país hay tres escuelas de medicina. La de la Universidad Central, la de la Universidad de Los Andes y la Escuela de Medicina de Corín Tellado, donde estudiamos usted y yo.» Era su forma de decirme que nuestra relación con la realidad era también una fantasía, que en la ficción televisiva la relación causa efecto podía ser un azar.

Pero la naturaleza es terca. Siempre está ahí. Su guión es distinto. Y aparece cuando uno menos lo espera. El día que escribíamos el capítulo doscientos diecisiete de *Primavera*, a mi madre le diagnosticaron leucemia.

–Exactamente, ¿qué quieres que haga? –Izquierdo deja caer la pregunta sobre la mesa, ya un poco harto, como aceptando su rendición.

El joven mira a Quevedo. Ha pasado casi la mitad de la reunión en un severo mutismo. Ahora él también luce incómodo.

–Quiero que nos ayudes a envenenar el *reality*.

Izquierdo menea negativamente la cabeza.

–¿Envenenar? –Pronuncia la palabra con un tono especial, inflándola, llenándola de dudas.

Ahora es Quevedo quien tan sólo mueve la cabeza, asintiendo.

–Tú sabes que los formatos son muy rígidos. No puedes hacer eso. Un *reality* es un *reality* y ya. No te pongas a inventar.

–Justamente eso es lo que quiero hacer: inventar. ¡Romper paradigmas!, como dicen ahora. Quiero que ese *reality*, en el fondo, sea como una telenovela, la telenovela más real de todas, la mejor telenovela de la historia.

Izquierdo suspira sonoramente, repite el gesto que usa cada vez que desea evadirse: deja que sus pupilas se deslicen hacia una pared blanca, deseando poder perderse en esa nada, hundirse en esa nube aplastada sobre el muro.

–Ya no se cómo repetírtelo –dice. Lo mira–. Vas a poner la cagada –susurra, finalmente.

–Tú vas a ver que no. Todo lo contrario.

El plan de Quevedo con el *casting* es resolver el asunto legal y elegir a siete indigentes.

–Que tengan talento, que tengan algo especial. La idea no es agarrar al primer loquito de carretera que encontremos –afirma.

Aunque tampoco quiere que estén demasiado destruidos. Lo ideal es que se vean sucios, abandonados, pero que su daño no sea irreparable.

–No queremos a gente que tenga el cerebro frito. Estamos ofreciendo una ilusión –repite–, no lo olvides. La audiencia, desde el primer momento, tiene que pensar que debajo de toda esa mugre se esconden príncipes y princesas.

Mientras escucha, Izquierdo no deja de moverse en su silla, cambia de posición, muda una pierna, otra, se estira. Casi pareciera que una iguana da vueltas en el interior de su cuerpo.

–¡Es el viejo cuento del patito feo, coño! ¡Un clásico! ¡El pobre que se vuelve Rey!, ¿quién fue el que escribió eso? ¿Julio Verne?

Izquierdo vuelve a mirar hacia la pared.

Quevedo quiere lo mejor de lo mejor. Unos indigentes que sepan hablar, que puedan moverse con cierta soltura, que tengan alguna mínima disposición para la actuación.

–Estás completamente loco. Eso es imposible.

El libretista hace un recuento de la historia de los *reality*, enumera sus características, destaca las diferencias obvias, repite la palabra obvias varias veces, entre un formato de ese estilo, con personajes que tienen algún tipo de vínculo fáctico con la realidad, y los programas seriados de ficción pura, regidos por otras leyes dramáticas y otras condiciones de producción.

–Nada es imposible en la televisión, tú lo sabes.

Quevedo habla de la flexibilidad de la producción audiovisual. Apela al riesgo, a la innovación. Insiste en proponer un hilo conductor profundo que es similar a ambos formatos. Son programas aspiracionales. El *reality* también vende un sueño. Siete personas desconocidas, que salen de la calle, de la miseria; siete personas que no son nada y que de pronto están ante un milagro, ganan un premio muy especial, la mejor oportunidad del mundo: vivir en la televisión.

–El destino, que somos nosotros, les da una segunda oportunidad. No es un mal nombre para el programa, por cierto. ¡Una segunda oportunidad! ¿Les suena? Todos quisiéramos eso en la vida. Y si vives debajo de un puente y estás comiendo mierda, más todavía, ¿o no?

Izquierdo se mantiene firme sobre la línea desdibujada del escepticismo.

–Antes hablaste de seis indigentes, ahora hablas de siete.

–Es lo mismo. Vamos a hacer un *casting* de seis, vamos a conseguir seis desdentados de la calle. El séptimo lo vamos a poner nosotros. –Quevedo, sonríe, abre una carpeta amarilla que tiene sobre la mesa, saca de ella varias fotografías–. Debería decir más bien la séptima. Miren esta belleza –añade, arrimando la foto hacia Izquierdo y hacia Pablo–. Tiene veinte añitos.

Las fotos: una muchacha joven, de cabello negro. Ciertamente, su edad respira en cada poro de su cuerpo. Tiene una piel bronceada que contrasta con el destello verde de sus ojos. Sonríe con naturalidad. Izquierdo mira el retrato y arruga un poco el entrecejo. Quevedo está atento a sus reacciones.

–Tiene un aire, ¿no? –dice Quevedo, de pronto.

Izquierdo no contesta. Pablo Manzanares no entiende. Toma otra fotografía, la observa, tratando de encontrar un detalle que lo ayude a comprender la frase.

–La primera vez que la vi, pensé lo mismo –continúa Quevedo–. Inmediatamente, recordé a Beatriz Centeno.

Al oír el nombre, Pablo gira su rostro y clava su mirada en el libretista.

–¿Usa lentes de contacto de color o en verdad tiene los ojos verdes?

–¿Acaso eso importa? No preguntes pendejadas, Manuel.

En el segundo retrato, la muchacha aparece en traje de baño, al borde de una piscina. Es un bikini azul turquesa que deja ver la perfección de sus caderas; la cintura breve, alzándose suavemente hasta tropezar con unos senos redondos, erguidos. Los hombros desnudos casi parecen flotar sobre el resto del cuerpo. La sonrisa vuela.

–Está más buena que comer con los dedos, no lo niegues.

Izquierdo insiste en mostrarse remolón, distante. Quevedo, sin dejar de sonreír, toma una segunda carpeta y extrae otras fotografías.

–Aquí tengo más.

Lleno de una sobredosis de optimismo, comienza a pasarles otros retratos.

–No le mires los ojos –le dice a Izquierdo–. Mírale las tetas, el culo; mira esa boquita... Y además de todo –añade– el cojo Andrade me aseguró que tiene talento. Acaba de empezar a estudiar en la academia de actores del canal. Nadie la conoce. No ha salido nunca en la pantalla. Ni siquiera en una propaganda. Es justo lo que necesitamos.

Los tres quedan en silencio por unos segundos. El muchacho mira embelesado las fotos de la joven aspirante a actriz. Izquierdo sabe que ya está cercado, que no puede hacer nada. Cada vez que siente ganas de abandonar la reunión, recuerda su contrato. Después de tantos años en la industria, la ética también es sólo un género televisivo, otro posible programa. Entiende que Quevedo está buscando una nueva oportunidad, su segunda oportunidad. Como todos. También a él, eso mismo le ofrece la televisión. También él quiere encontrarle algún sentido a la inutilidad de su existencia. Para eso está la pantalla. Eso es. Por dentro y por fuera. Todos necesitamos una luz que nos ayude a vivir.

–Imagínensela sucia, con el pelo enmarañado, vestida con ropa vieja... –dice Quevedo, soltando la última foto en el centro de la mesa–. Imagínensela como una muchacha pobre, perdida, descalza. –Quevedo hace otra pausa; un breve resplandor se instala en sus ojos, sonríe con satisfacción–. ¡De mendiga a millonaria! ¡Ése es el sueño de todos! ¿A quién no le gustaría tener otra vida, una vida distinta, una vida mejor?

En la fotografía, la muchacha aparece casi desnuda, tendida sobre un piso de madera, medio abrazada a una pashmina de color naranja. Mira a la cámara con cierto desafío. Sonríe. Como si tuviera mucha fe en su futuro.

7

Ahora mi mamá está angustiada, ahora sí, ahora resulta que no le gusta tanto que trabaje en el canal. Dice que paso demasiado tiempo allá, que estoy descuidando mis estudios. Sigue molestándole que encima salga a veces de noche, dizque a trabajar, porque así dice ella, dizque, que es una palabra que yo sólo uso cuando tengo que imitarla, cuando me pongo a hablar como habla ella. Por ejemplo: ¿qué es eso de salir a las diez de la noche, dizque a una cosa del trabajo? Perdóname pero a mí eso me suena muy raro. Lo dice estirando siempre la y de muy, jalándola con sus labios hasta casi hacerla gritar. ¿Quién la entiende? Incluso una tarde se puso a tratar de llamar al señor Quevedo, dizque para hablar con él. Porque me lo dijo. Por eso pongo el dizque. Porque justo así fue como me dijo cuando me lo contó. Por suerte nunca lo encontró en su oficina o, tal vez, nunca le pasaron la llamada. Pero entonces me cuenta a mí lo que pensaba decirle al señor Quevedo por teléfono. No sé para qué. No sé qué cree. ¿Que voy a hacer de mensajero? ¿Que yo voy a ir a repetirle eso a mi jefe?

Oye, Rafael. Soy yo, Iliana. Sí, sí. Perdona que te moleste pero es que estoy un poco preocupada por Pablito.

Así empieza mi madre y yo, por supuesto, me pongo de mal humor. Por todo y por el Pablito. Porque además ya me ha contado esa misma llamada cinco veces. Yo creo que, de pronto, se le revolvieron todos los fantasmas de mi papá, de pronto le entró miedo de que a mí me guste trabajar aquí, de que me dedique a trabajar en serio en la tele. Yo conozco bien ese mundo por dentro, me dijo hace días. Bastante que lo sufrí cuando vivía tu padre. Ese verbo le encanta a mi mamá: sufrir. A veces lo cambia y se queda unos días usando el verbo padecer, pero le gusta más sufrir, más temprano que tarde va y regresa otra vez y dale, de nuevo, con sufrir. Sí. Bastante que lo sufrí en esos años. Mucha droga, mucho alcohol, mucha gente loca. Tienes que tener cuidado, Pablito.

Randy también me ha dicho que le estoy agarrando el gustico a la televisión. Pero él no se enrolla, él sólo me dice que cada vez paso más tiempo en el canal, que cada vez hablo más de mi trabajo. En realidad, a él tampoco le interesa mi trabajo. O, más bien, sólo le interesa mi trabajo si hablo de mujeres, de actrices, de extras. Lo otro que le da curiosidad es el cuento de cuando metieron preso a Manuel Izquierdo. Le encantó la foto del periódico que le mostré. Ya lo he dicho: a Randy le fascina lo sórdido. Ése es su tema. Seguro que de esa foto saca un relato. A mí lo que me importa es que cumpla su pacto, que siga guardando el secreto. Todavía no quiero que en la Escuela o en el taller de poesía se enteren. Sobre todo Emiliana. No quiero que sepa que trabajo en el canal. Hace una semana, en la clase sobre Lezama Lima, ella dijo que ella no veía televisión, que no veía nada de televisión, que no le gustaba, eso dijo. Yo estaba en el pupitre de al lado, la miraba, como idiota, como siempre. La miro y se me suspende el pensamiento. Es como si el cerebro se me llenara de mostaza. No coordino. Ella dijo eso y me miró. Sonrió. Y yo sonreí, como asintiendo, con una sonrisa medio abombada, de lo puro fascinado y estúpido que me pongo con ella. Entonces, de pronto, ella misma me preguntó si yo veía televisión. Me agarró de sorpresa. Tuve que jalar unas palabras porque casi todas habían huido hacia adentro, asustadas. Medio tosí, moví las manos, hasta que pude decir algo. Sólo las noticias, dije, queriendo hacerme el interesante. Como Emiliana no sonrió, como no me pareció que estaba demasiado contenta con la respuesta, me apuré y dije que sólo de vez en cuando. Sólo las noticias y sólo, además, de vez en cuando. Eso dije.

En el fondo, Randy tiene razón: mi relación con Emiliana es puro y ridículo amor platónico. Más aún: es una pura y ridícula no relación. Yo me lo invento todo, me lo imagino, y no me atrevo a decirle nada, no me atrevo a ir y hablarle, a contarle lo que siento, lo que me pasa, sólo porque ya sé la respuesta. Prefiero este limbo, que no es sí pero que tampoco es no. Prefiero esta fantasía blanda, sin ningún derecho a nada, al rechazo directo, que me arruinaría todo lo que ahora sueño con ella. Para Randy, lo que me pasa con Emiliana es una soberana tontería. Él cree que Emiliana tiene novio. Que se da cuenta perfectamente de que me gusta, que ella sabe que yo estoy enamorado de ella. Y que eso le importa un carajo. Que incluso es medio perversa y se divierte un poco conmigo, con la situación. No te tortures más, me dice. Cáele a Sonia que anda pendiente contigo, también me dice. No está tan buena como Emiliana pero seguro que se mueve como una diabla. Siempre terminamos hablando de lo mismo. Cuando en el canal engavetaron el proyecto del *reality show* yo me quedé con la carpeta y las fotos de la joven actriz que el señor Quevedo quería hacer pasar por una indigente. Una tarde se las mostré a Randy. Se quedó pasmado. Y lanzó un silbido largo, que lo fue desinflando poco a poco, hasta dejarlo sin aire. Estaba realmente impresionado. Por fin le pareció que valía la pena trabajar en televisión. Miraba a la muchacha tendida, con su pashmina. Pasó rápido todas las fotos. Comenzó entonces a decir de todo, que si qué culo, qué par de tetas, qué ojos, qué labios, qué. Y me preguntó si la conocía, si la había visto, si había hablado con ella. Le dije que no. Le conté la verdad. El proyecto del señor Quevedo estaba parado. Yo había vuelto a ser un simple asistonto. Randy me dijo que eso no importaba, que no fuera estúpido, que aprovechara, que buscara a la actriz de la foto. Al carajo Lezama Lima, casi gritó. ¡Al carajo la Escuela de Letras!, ahí sí gritó. ¿Teniendo este mujerón tan cerca tú vas a seguir pendiente de Emiliana? ¿Estás loco, Pablo?

Lo único que tengo es su nombre: Vivian Quiroz. Y sé que toma clases en la academia de actuación del canal. Nada más. Una vez me acerqué a donde está la academia, en un pequeño edificio, al lado del galpón donde están los estudios 5 y 6. No había nadie. También fui a la oficina de *casting*, revisé los archivos, buscando una ficha técnica, alguna información sobre ella, pero no encontré nada. Lo único que puedo hacer es esperar. Mi jefe todavía tiene esperanzas. Todas las mañana espera que lleguen los resultados del *rating*, los lee, se frota las manos, entusiasmado. Cada vez nos va peor. Él cree que eso nos conviene. Que cuánto más hundido esté el canal, más posibilidades tenemos de que nos saquen del congelador. Nos van a llamar, me dice el señor Quevedo. Ya verás. Cuando estén en el sótano, nos van a venir a buscar, corriendo, van a suplicar, van a pedirnos un milagro. Quizás eso es lo que tiene la televisión. Esa competencia, esa guerra por el *rating.* Te arrastra, te agarra y no te suelta. Es como una descarga continua de suspenso, de emoción. Todo el mundo está eléctrico, pendiente, día a día. A partir de las nueve de la mañana, todas las mañanas, comienza el agite, los nervios. ¿Llegaron los números? ¿Sabes algo de los números? ¿Qué tal los números de ayer? Eso es lo que marca todo, el *rating* es la droga que mueve al canal.

–¿Así quieren ganar?

Después de analizar bien todos los detalles, el departamento legal presenta un documento que recomienda suspender el proyecto Quevedo. El argumento central se basa en la naturaleza misma de los protagonistas del show. Un indigente no puede ser considerado una persona legalmente responsable. Es un ciudadano en estado de minusvalía, que puede presentar síntomas de descontrol mental, de evidentes problemas de salud psíquica. No conviene que el canal trabaje con personas con esas características. Se corre el riesgo de ser demandados, tanto por el familiar de alguno de los participantes como por cualquiera de las instancias del poder público del país.

Quevedo protesta. Asegura que él puede conseguir los permisos necesarios. Ofrece la versión de un abogado externo que, apelando a diferentes y engorrosos pliegues de la ley, asegura que los riesgos planteados por el departamento legal del canal son una nimiedad, obstáculos sin importancia. Pero la respuesta es tajante: un indigente no puede firmar un contrato.

–Olvídate, Quevedo. No insistas.

También el departamento de imagen corporativa redacta un documento, advierte sobre los peligros que corre el canal al poner en la pantalla un programa de ese tipo. La percepción de la audiencia puede ser muy desfavorable.

Se trata de un tema delicado que pone en peligro la imagen del canal ante la opinión pública. Puede desatarse una corriente crítica inflamable. ¿Está o no el canal aprovechándose de la miseria ajena? ¿Hasta qué punto usa o incluso explota a personas enajenadas e indefensas para hacer un show de entretenimiento, para realizar un negocio televisivo?

Quevedo vuelve a protestar. Indignado.

–¿Y así quieren ganar? –repite–. ¡Con criterios como éstos –espeta, con vehemencia, en una reunión de la Junta Directiva– no se puede hacer un carajo! ¿Cómo quieren, entonces, que ganemos el *rating*? ¿Haciendo televisión educativa? –pregunta, con obvio sarcasmo.

Da la pelea en todos los flancos, adentro y afuera, incluso sube al quinto piso y pide una reunión con el presidente de toda la corporación. Se siente iluminado. Sabe que tiene la razón. Puede sentir el éxito, rondándolo, tan cerca. Sólo quiere contagiar su fe. Piensa que con contar su idea, nada más, el entusiasmo surgirá en los otros de manera natural. Después de dos semanas de ardua gestión de convencimiento, de intrigas y negociaciones, logra que el Comité de Programación le permita seguir trabajando, con un mínimo presupuesto asignado, pero en secreto, a oscuras, de manera un poco marginal, sin una completa aprobación. Quevedo asume esa decisión como una victoria. Su proyecto no aparece en la planificación de la programación oficial del canal, pero tampoco ha sido suspendido. Está en una rara mitad, en un sí pero no tan providencial. Para eso existen los limbos.

–Es una forma de decirle que no sin decirle que no, ¿entiendes? –concluye Izquierdo, haciendo sonar levemente la taza de café sobre la mesa de vidrio.

No puede ocultarlo: la decisión del canal lo ha puesto de muy buen humor. De pronto, se siente liberado del fardo engorroso y pesado que hasta ahora lo ha sometido.

Él y Pablo Manzanares están en la sala de reuniones. El libretista ya le ha explicado que se trata de una práctica muy frecuente en los canales de televisión. Siempre hay miles de proyectos en preparación, gente que piensa o hace cosas que jamás serán producidas, que nunca saldrán al aire.

–Es muy difícil rechazarle un proyecto a un vicepresidente, sobre todo si ese vicepresidente piensa que tiene en las manos la madre de todas las ideas, el milagro que salvará al canal de una crisis de audiencia. Por eso la ponen a enfriar.

–Pero el señor Quevedo no se va a dar por vencido.

–No todavía. Espera que pasen los meses.

Izquierdo mira hacia otro lado, como si esa frase fuera un final, como dando por cerrado el tema.

–Supongo que, para usted, esta noticia será un alivio –se atreve a decir Pablo.

–Bájame del usted –masculla Izquierdo, sin mirarlo–, ya te lo dije. El usted es un método de envejecimiento *express.* –Sólo entonces voltea y le sonríe–: Esto es lo mejor que nos puede pasar a todos. Este proyecto iba a ser un gran fracaso.

Es evidente que no quiere hablar más del asunto. No le interesa. Se arrellana en su sillón, estira un poco los brazos, con cierta placidez, y vuelve a observar al muchacho.

–¿Y? ¿Cómo va la literatura?

Pablo intuye una velada sorna en el tono, en la música que envuelve la pregunta.

–Bien.

–¿Sigues en la universidad?

Pablo tan sólo asiente, brevemente, sin énfasis.

–¿Qué estás estudiando este semestre?

–Lezama Lima –contesta, peleándose con las eles de los dos apellidos. Quiere mostrarse seco, distante.

Izquierdo entonces alza la vista, duda un segundo. Luce genuinamente perplejo, como si le pareciera increíble que todavía se leyera al autor cubano en la Escuela de Letras.

–*¿Paradiso? ¿Opiano Licario?*

–Poesía. –La pe le permite esta vez mostrarse un poco más duro. Pablo la pronuncia con fuerza, casi como si quisiera expulsarla de su boca.

Transcurren unos segundos en silencio. Izquierdo parece ensimismado, por un instante, hasta que:

–Yo nunca he podido con la poesía, ¿sabes? –exclama, de pronto, sin mirarlo, en un tono sorpresivamente confesional–. No es para mí.

Izquierdo se pone de pie, como si de pronto se arrepintiera de lo que acaba de decir. Luego mira con cierta vergüenza al joven y estira su mano.

–Nunca tuve nada personal contra ti, Pablo –dice, presionando la entonación al pronunciar el nombre del muchacho.

Pablo queda desconcertado. Apenas puede corresponder al saludo y observar cómo el guionista se escurre hacia la puerta y sale de la oficina.

Fue una arritmia, estoy seguro. Un pequeño sobresalto me sacó del sueño. Me senté en la cama y sentí que el corazón latía más de prisa. No sé cómo describirlo. Pero tenía un eco distinto, pateaba de otra forma dentro de mi pecho. Me toqué las orejas tratando de evaluar si estaban o no más calientes que de costumbre. La imagen se me hizo extravagante. Un hombre en calzoncillos, sentado sobre una madrugada, manoseando sus orejas, tratando de medir con los dedos su tensión sanguínea. «A partir de los cincuenta, la presión arterial comienza a subir», me dijo el médico. La frase me tiene podrido. «A partir de los cincuenta... » es casi el pie de los peores parlamentos que he escuchado en los últimos años. Uno cumple cincuenta y al día siguiente la próstata y el colon comienzan a joder. La columna se resiente. El hígado se pone graso. La diabetes deja de ser una palabra técnica y lejana y pasa a convertirse en una amenaza demasiado próxima. También hay que tener cuidado con las articulaciones. Por no hablar del corazón: ese músculo ridículo y pretencioso. Cuando cumplí cincuenta me hice por primera vez un electrocardiograma. El doctor me dijo que estaba muy bien pero que me cuidara. Yo detesto esas permanentes ambigüedades clínicas. Siempre hay un pero en la mitad, nunca nada puede estar del todo bien. Al final, siempre aparecen recomendaciones, consejos, sugerencias... Estás estupendo pero, ojo, cuídate, tampoco creas que estás a salvo, ya no tienes veinte años, al salir del consultorio podría darte un infarto. Uno nunca sabe. También me hicieron una prueba de esfuerzo. «Todo está bien –me dijo el cardiólogo–. Tienes una pequeña arritmia, pero tampoco es para alarmarse.» Me dio unas pastillas, me dijo que bajara la sal y las grasas, cuida la dieta, Manuel, haz ejercicio, y me dejó solo en el mundo, con la palabra arritmia en la mano, asustado e indefenso. Me sentí como un niño en su primer día de escuela.

No pude volver a dormirme. Me pasa a menudo. Me despierto de repente y ya me cuesta mucho conciliar de nuevo el sueño. En vez de dar vueltas en la cama decidí venirme a la computadora y escribir un rato. Si permanezco demasiado tiempo tendido en la cama comienzo a ponerme nervioso; me domeña la ansiedad, empiezo a seguir el ritmo del corazón, retumbando debajo de las costillas. Al principio se oyen como pasos secos, pequeños, pero poco a poco adquieren otras dimensiones, logran ecos inusitados, pasan a ser una rara pieza de percusión que envuelve toda la cama. Es como otro sueño, otra realidad construida a base de sonidos, de ritmos, de la que debo escapar de un solo salto. Cuando mis pies tocan el frío del piso logró por fin liberarme, desprenderme, salir de esa pesadilla.

Antes de los cincuenta nunca había pensado en el corazón. Quizás exagero, pero tengo derecho a hacerlo. Total, estoy escribiendo mis recuerdos y, la verdad, sólo trato de ser fiel, solo intento transcribir lo que me dicta mi memoria. Cuando yo tenía treinta años la palabra arritmia no estaba en mi idioma. Sólo utilizaba el corazón en los títulos de las telenovelas. Mi primer éxito se llamó *Corazón de mujer.* Era la historia de una madre sola que vive con dos hijas de distintas edades, con diferentes problemas. Fue la primera vez que el canal me permitió hacer una historia original. Antes de llegar ahí, tuve primero que dialogar muchas historias de otros autores y, después, también debí pasar por la etapa de «adaptador» de viejas historias escritas en otros países. Yo escribí *Marisela,* que fue una versión nueva de *Ana María,* que a su vez era la versión de *Sombras del ayer,* folletín televisivo escrito por Estefanía Monge, leyenda cubana de la escritura de melodramas. La gerencia del canal me dio los libretos originales. Estaban en tinta azul, tatuados con las letras de una vieja máquina. Cada vez que tomaba esos libretos sentía el cansancio del papel en la punta de los dedos. Imaginaba a la escritora, tecleando con fuerza en una Smith Corona de los años treinta. Las escenas eran larguísimas, los diálogos antiguos, no había casi acciones y nada transcurría en un exterior. Pero la gerencia pensaba que sería un éxito. «Donde diga *guagua* pones autobús; donde diga *La Habana* pones Caracas; donde diga *pepilla* pones *chamita*», ésas fueron las indicaciones que me dieron. En realidad, no necesitaban escritores sino amanuenses, copistas. El país consumía melodramas con conflictos extemporáneos y muchas veces ajenos, escritos con una moralina insufrible, dialogados con un lenguaje pomposo, que nadie usaba, o que sólo existía a las nueve de la noche, a la hora de la telenovela. Durante años me dio por coleccionar parlamentos memorables, que leía en los libretos o escuchaba en las transmisiones, piezas únicas de ese código, del lenguaje del horario estelar. Los tengo todavía en un cuaderno. Hay verdaderas joyas.

> ALEJANDRA (MONTA EN CÓLERA):
> ¿Por qué no lo entiendes, Luis Fernando? Esa mujer... (SUSPIRA HONDO, HACE ESFUERZOS POR NO ROMPER EN LLANTO) Ella... Ella es una zafia... Tiene el corazón lleno de veneno... Quiere destruirnos... Acabar con este elixir de amor que nosotros vivimos.

ALEJANDRA Y LUIS FERNANDO MIRÁNDOSE.

AUDIO: GRANDES ACORDES.

Creo recordar que éste lo escribió Lorena Arismendi en *La mujer de las sombras.* Estuvimos en el mismo equipo, como dialoguistas, hace veinte años. La historia era un refrito de otras dos o tres antiguas historias. También era frecuente que la gerencia tomara de la «librería» del canal varios melodramas viejos y le ordenara a un adaptador mezclar los relatos y organizar una nueva versión, otras ciento veinte horas de pura realidad sentimental. Lorena era una mujer muy divertida. Estaba feliz con su destino. Había empezado en el canal como secretaria de José Luis Heredia, quien la ponía a pasar en limpio los libretos del archivo, los originales más antiguos, que estaban muy deteriorados. Lorena pasó días, semanas, meses, años, copiando libretos, trabucando las gastadas hojas en papeles nuevos. Así se hizo escritora. Así aprendió a escribir. No había leído en su vida ni un solo libro completo. Si alguien le hubiera hablado de Stendhal ella de seguro habría pensado que se trataba de un jugador de béisbol. Caminaba oronda por los pasillos. Estaba tan feliz. De la manera más inesperada, de pronto, la vida le había dado la oportunidad de saltar de estar atendiendo el teléfono en la recepción de la oficina de cualquier gerente a la escritura. En el cuaderno tengo algunos de sus mejores hallazgos. Éste es otro.

> ANDRÉS VICENTE (APOYÁNDOSE EN LOS BARROTES DE LA REJA):
> ¡Ya no puedo seguir ocultándote la verdad, Carolina!

AUDIO: ACORDITO:

> CAROLINA (SE PEGA A LA CELDA, LO MIRA HONDAMENTE):
> ¿A qué te refieres?

> ANDRÉS VICENTE (SUSPIRA, PLAY BACK):
> ¿Se lo digo? ¿No estaré cometiendo acaso el peor error de mi fatal existencia? (TRAGA GRUESO, LA

MIRA DE HITO EN HITO, LE HABLA CON EMOCIÓN) Tú... Tú no eres una bastarda, Carolina!!!

AUDIO: ACORDE.

ANDRÉS VICENTE (SE AFERRA A LOS BARROTES): Y ya... Ya es hora, Carolina... Ya es hora de que formes parte de la familia de la que formas parte!!!

AUDIO: GRANDES ACORDES.
CAROLINA SE LLEVA LA MANO A LA BOCA AGUANTANDO UN GRITO.

Antes de poder escribir mi primera telenovela original tuve que sudar muchas historias antiguas, llenas de este vocabulario y de estas salivas, plagadas de tantos acordetazos, de tantos excesos con los signos de admiración. Por suerte, *Corazón de mujer* fue un éxito. Ahí, por primera vez, conocí de cerca las bondades del dios *rating.* Quizás por eso agarré lo del corazón como un talismán, poner esa palabra en el título de cualquier telenovela se convirtió en una cábala. Luego escribí *Corazón sin documentos* y *La Ley del corazón,* que fue donde inicié mi relación con Beatriz Centeno. Después fui el autor de una telenovela en clave de comedia llamada *Sin corazón en el pecho.* Inventé un relato de tres mujeres que comparten al mismo hombre y, por supuesto, le puse *Corazón ajeno...* hasta que empezó a irme mal. Comencé a fracasar y comencé a sentir arritmia. A medida que los índices del *share* o del *rating* bajaban, mi corazón también iba perdiendo el paso, daba breves traspiés. Cuando recuerdo esas mañanas, sentado en casa, frente a la computadora, esperando que fueran las nueve para llamar al canal y preguntar si ya habían llegado los numeritos, todavía siento que sudo por dentro, que en mi pecho se expande una larga sensación de vacío. Día tras día. Todas las mañanas. Colgado al teléfono. Esperando unas malditas cifras que definen tu vida, que te evalúan, que te dicen si la gente te quiere o no te quiere. El *rating* es uno de los inventos más perversos de la humanidad. Si tienes buenos puntos, todo va bien, eres un genio, la vida te sonríe. Si estás perdiendo, si no logras el margen de audiencia esperado, prepárate. Te torturarán. Te amenazarán. Te echarán a los leones. Terminarás humillado y despreciado. Amor sin *rating* no dura.

Dos meses y medio después, Izquierdo entra a su casa y, al ver titilando la luz roja de la contestadora telefónica, tiene un mal presentimiento. Ciertamente: es Quevedo. Su mensaje resulta tan breve como drástico. Está jubiloso.

–Épale, Manuel –se oye su voz, con una irritante alegría musical, en la contestadora–. ¿A qué no adivinas? El Comité acaba de darnos luz verde. El proyecto va. Tenemos que apurarnos. ¿Puedes venir mañana al canal?

8

Lo encontramos dormido en una cuneta cerca del río Guaire. Fue un domingo en la mañana, como a las ocho. El primo de Randy me llamó tempranísimo. Yo dije aló y él dijo hola. Soy Chuleta, dijo después, cuando se dio cuenta de que yo no tenía idea de quién era. Yo estaba enratonado. Me había acostado tarde, estuvimos celebrando el cumpleaños de Estela, una chama de la Escuela. Llegué a la fiesta temprano, esperando a Emiliana. Randy y yo habíamos apostado. Él decía que Emiliana no vendría sola, que seguro iba a aparecer con un tipo, con un novio. Yo decía que no. Cuando llegó medio abrazada a un pendejo de un metro ochenta, yo comencé a beber. Me puse al lado de la mesa donde estaban las botellas, saludé con la mano al frasco de ron y se acabó, ahí empezó el derrumbe. El pendejo era unos años mayor que nosotros, ¿dos?, ¿tres?, no sé. Tenía bigotes, sonreía demasiado. No soporto a la gente que sonríe de más. Eso hacía el pendejo con pinta de basquetbolista. Estaba todo el tiempo pegado a Emiliana, sonriendo. Se agarraban de manos y yo me servía un trago. Él le pasaba el brazo sobre los hombros y yo me servía otro trago. La agarraba por la cintura, otro más.

Un besito, me bebía todo el vaso de un solo golpe. Como si el ron fuera oxígeno. Hice lo imposible para no tropezarme con ellos dos. Había vivido dos semestres imaginando siempre a Emiliana sola, sin nadie más, y en ese momento no sabía qué hacer. No quería encontrarme con ellos de frente, no quería que ella me saludara, que me presentara a su Jorge o Willy, a su Pedro o Luis. Pasé toda la fiesta esquivándolos. En ese plan, fui como siete veces al baño y dos veces a jugar en la computadora con el hermanito de Estela. En mi última imagen yo estoy sirviéndome un trago de ron y discutiendo con el gordo Uzcátegui sobre una película húngara que yo no había visto. No recuerdo la película pero sé que no la había visto y que sólo discutía con el gordo por puras ganas de discutir, de pelearme con alguien; por no saber qué hacer con lo mal que me sentía. Los dientes del novio de Emiliana brillaban a cada rato, como si fueran de neón. De ahí en adelante todo es más o menos difuso, pastoso, irregular. Creo que Randy se acercó y me dijo estás borracho. Creo que yo le dije que sí. Creo que me fui sin despedirme. Creo que Randy me trajo hasta el apartamento. Creo también que yo pasé todo el camino hablando. No sé de qué pero supongo que de Emiliana, de su novio basquetbolista, con bigotes y con dientes de neón. Hasta que sonó el teléfono. Y ya era de mañana y yo gruñí. Era Chuleta. Me dijo que había hablado con Randy pero que Randy estaba fundido. Que le dio mi número de teléfono. Que le dijo que me llamara a mí. En quince minutos te paso buscando, dijo. Tenemos algo, también dijo.

En el Caribe, la resaca es mucho peor. Ésa es mi teoría. Jamás he estado en un país con invierno, yo sólo he visto la nieve en películas, pero estoy seguro de que ese clima es mucho mejor para la resaca. Porque esto de salir trasnochado y encontrarse con ese sol amarillo, durísimo, de frente, es imposible. Yo sentía que estaba sudando ron, que el calor estaba fermentando el alcohol dentro de mí. Chuleta no comentó nada. Estaba ahí, como siempre, con su mitad de cigarrillo apagado colgando de los labios. Sólo puso uno de sus casetes de música religiosa. Era un coro que, con ritmo tropical, cantaba algo sobre el arrepentimiento. Era como si su viejo Malibú verde fuera una iglesia. *Arrepiéntete / Arrepiéntete / Yo soy el buen pastor / Si me buscas con fe / te daré mi perdón.* La autopista estaba vacía. Chuleta se estacionó en el canal del hombrillo, junto a un distribuidor con dos rampas que queda cerca del estadio de béisbol. Vamos rápido, me dijo. La verdad, yo no sabía qué estaba haciendo ahí. No tenía sentido. El proyecto estaba congelado, ya se lo había dicho al primo de Randy, pero él se había clavado en el asunto. Mientras bajábamos por la pendiente, hacia el río, pensé que ésa era una buena metáfora de mi vida, de la estupidez que era mi vida. No tenía voluntad, no hacía nada por mí mismo. Trabajaba en el canal porque mi mamá lo había decidido. Quizás había perdido a Emiliana porque jamás me había atrevido a hablar con ella, a decirle lo que sentía. Estaba ahí igual, siguiendo a un loco, simplemente porque no era capaz de decirle que no y mandarlo al infierno, precisamente al infierno.

Llegamos a una pequeña explanada y, junto a unos arbustos, lo encontramos. Ahí estaba su casa, en la mitad de una cuneta, al borde del río. Era un tipo largo, con el pelo enmarañado pero seco, tenía bigote. De inmediato recordé al novio de Emiliana. Hubiera preferido conocerlo así. Sucio, con el pelo empegostado, tendido sobre la tierra. A su lado, había unos cartones, dos latas de refresco vacías, unas bolsas de papel. Todo olía horrible. Chuleta lo tocó con la punta de su zapato. Ajá, le dijo. Muévete. El mendigo ni se movió ¿No estará muerto?, pregunté. El dolor de cabeza me tenía averiado. ¿No te das cuenta o qué?, me contestó Chuleta. ¿No hueles el aguardiente? Está igual que tú, añadió. O peor, volvió a añadir. Y entonces, sin previo aviso, movió rápidamente su pierna y le encajó una patada en las costillas. Fue una patada brutal, feroz. El tipo se dobló sobre sí mismo y lanzó un aullido. Su grito rebotó en el cielo. Ajá, dijo entonces de nuevo Chuleta, con una sonrisa. Ahora sí reaccionas, ¿no?, le reclamó antes de volver a meterle otro puntapié directo en el estómago. El tipo volvió a aullar. Unos pájaros negros salieron volando. Por un momento sentí que yo todavía estaba borracho. Seguía viendo en ese indigente al tipo con el que llegó Emiliana a la fiesta. Era él, con unos años y mucho sucio de más. Las imágenes se me cruzaban. Las franjas ocres del sol brillaban demasiado sobre nuestras cabezas. No me dejaban ver bien. Me hacían daño. Todo me parecía distorsionado. Llegué a pensar que en cualquier momento podría despertarme en mi casa, sabiendo que tan sólo había tenido un sueño alcohólico. El indigente seguía tendido sobre la tierra, pero ya estaba con los ojos abiertos. Olía a mierda. Chuleta empezó a hablarle. Le preguntó cosas así: ¿Tú tienes nombre? ¿Sabes cómo te llamas? ¿No sabes hablar o es que eres loco? ¿Desde hace cuánto andas por las calles? ¿De dónde eres? ¿De acá o colombiano? El tipo no contestó ninguna pregunta. Pero era obvio que escuchaba, que entendía. Al menos, era obvio para mí. Cuando oía el tono fuerte, casi gritado, de Chuleta, su cuerpo se movía un poco, se tensaba. Hasta los músculos de su cara parecían endurecerse. Pero miraba hacia el frente y seguía en silencio. Yo me sentía cada vez peor, más mareado. Seguía con dolor de cabeza, con náuseas. Randy dice que lo único que diferencia una borrachera de otra es la calidad de los materiales. Traté de imaginar por un segundo qué clase de fiesta habría tenido ese indigente la noche anterior. Qué habría bebido. Qué habría fumado. Qué se habría tragado. Lo vi y volví a pensar en el novio de Emiliana. En su bigote. En su sonrisa de neón. También pensé en su noche anterior. Qué clase de fiesta habría tenido él. De pronto me cruzó la imagen de Emiliana desnuda, encamada con ese imbécil. No pude evitarlo. Aunque me dio rabia. Los vi por un segundo, desnudos en una cama. Chuleta volvió a encajarle una patada al indigente. Casi sentí que crujió algún hueso, una costilla, quizás. El hombre dio otro alarido. Chuleta, entonces, volteó hacia mí y me miró con una rara complicidad. Movió las manos, señalando al mendigo: ¿quieres darle tú?

El sol parecía una rana amarilla atrapada en la mitad del cielo.

¿No te animas?, me preguntó.

Apenas entra a la oficina entiende que ya nada está igual. Quevedo se encuentra de pie, junto a su escritorio. En la mano derecha sostiene un teléfono celular mientras, con la mano izquierda, aprieta su blackberry, tratando de mantener otra conversación. Al mismo tiempo, le entrega unas carpetas a su secretaria, girándole unas instrucciones con algunos gestos de sus manos. Al ver a Pablo en el quicio de la puerta, ladea además la mandíbula, indicándole que se acerque, que lo espere un segundo, nada más. Las palabras tropiezan en el aire. Quevedo tiene un resplandor nuevo, distinto. No puede ocultar su afán, ese ánimo frenético que parece haberle devuelto la vida, o al menos, otra vida, una vida anterior que se había extraviado en la más sosa burocracia de la industria. Pide presupuestos, manda a contratar a una escenógrafa del canal de la competencia, cita para una reunión urgente esa misma tarde... Cuando por fin cuelga, mira satisfecho a Manzanares.

–¡Lo conseguí! –vocea, exultante–. ¡Nos dieron luz verde! ¡Tenemos que salir al aire lo antes posible!

El joven no atina a decir nada. Esperaba cualquier cosa menos eso. Quevedo se mueve por la oficina, toma unos papeles de su escritorio, se lo extiende. Son los últimos sondeos, los números. Un desastre total, insiste Quevedo, sin ahorrarse la satisfacción. Sus primeros competidores, sus primeros enemigos, están dentro del mismo canal y ya los ha derrotado. Necesitan ponerse a trabajar de inmediato. Repite varias veces su nombre, mientras enumera todas las tareas que tienen por delante. Siempre dice Pablito.

–No entiendo –logra finalmente articular el muchacho–. ¿Esto significa que volvemos a empezar, que hay que ir otra vez a buscar indigentes?

Quevedo dice que no.

–Ahora tenemos algo mucho mejor –sentencia.

La televisión vive del sufrimiento. Lo que importa es lo que se siente. Y si lo que se siente duele, entonces todavía importa más, es más auténtico. Eso fue lo primero que aprendí en este negocio. En la telenovela, el padecimiento es un aval, es nuestra denominación de origen. Una vez, hace demasiados años, vi un documental que intentaba indagar en el gusto de la gente por las telenovelas. Consultaban especialistas, psicólogos, académicos de la comunicación, expertos de la industria; pero la mejor respuesta la ofreció una señora a la que sorprendieron con una entrevista en la calle. Cuando le preguntaron por qué le gustaba ver telenovelas, ella simplemente contestó: «porque se sufre mucho». Después de todos estos años, creo que ésa es la única respuesta que me parece razonable, verdadera. Todo lo demás es adorno, decorado. Lo único real es el sentimiento. Y la mayor garantía del sentir, su más palpable y honesta consecuencia, es el sufrimiento. Quien no sufre, no tiene corazón y, por lo tanto, no existe. El llanto es una de nuestras evidencias ontológicas. La prueba irrefutable de que las historias que se narran en la pantalla son verdaderas, están sacadas –como dicen siempre las promociones– de la vida misma.

Por supuesto que todo el mundo sabe que la vida misma no siempre suele ser tan excitante, tan acontecida, como las vidas que se cuentan en una telenovela. En la vida misma, una sola persona no suele quedar paralítica, amnésica y ciega, en varias oportunidades y de manera sucesiva, en menos de seis meses. En la vida misma el primo de la hermana de un tío no suele ser casi siempre tu verdadero padre, quien por cierto estuvo preso unos años, después de trabajar como contrabandista pero antes de convertirse en sacerdote. En la vida misma no suele haber tantas vírgenes. En la vida misma todos solemos tener otras obligaciones y deberes aparte de enamorarnos.

Una tarde, en la cantina del canal, mientras me tomaba un café, pude escuchar a Julián Pedrique, un viejo actor de teatro que se ganaba la vida actuando en teleculebras. Oírlo en ese momento fue, para mí, toda una revelación. Por supuesto que no hablaba conmigo. Yo apenas era un aprendiz de libretista, totalmente anónimo, tomándome un café apurado. Pedrique estaba sentado en una mesa junto a un grupo de actores jóvenes. Hablaba justamente de las situaciones absurdas y cursis de la mayoría de las escenas que le tocaba grabar. Ante los reparos y los cuestionamientos de los actores que recién empezaban, el viejo maestro se mostraba piadoso, trataba de explicar que ésa era, justamente, la naturaleza del género. Y refirió entonces cuál era su método particular para medir cuándo una escena era buena o mala: el pudor. Si cuando leía la escena de cualquier libreto se sentía de inmediato abrumado, ganado por una gran vergüenza, eso era un indicador inequívoco de que se hallaba ante una escena excelente, una clásica escena de telenovela. A partir de esa tarde, me apropié de ese método. Y todavía lo uso. Cada vez que estoy escribiendo y siento de pronto un ataque de pudor, cada vez que siento que lo que estoy escribiendo es empalagoso, de un cursi que me da grima, asumo entonces que voy por buen camino, que estoy haciendo lo correcto. El sentido de la verdad y de la mentira, en la telenovela, sólo está dado por su capacidad de conmover. Lo real es lo sensible. Lo verosímil reside en los afectos. Ésa es la única naturaleza de mi trabajo: el exceso sentimental.

La noche en que murió mi madre estaba pensando en todo esto. Es probable que no lo haya pensado con estas mismas palabras, que no lo formulara de este modo. Fue hace mucho tiempo. Yo apenas tenía pocos años trabajando en el canal. Todavía no me había casado, todavía no me había divorciado, todavía no había empezado mi historia con Beatriz. Estábamos en la clínica, a mí me tocaba dormir esa noche en su habitación. Desde que la habían hospitalizado, mi hermana Eugenia y yo nos turnábamos, una noche ella, otra noche yo. A veces yo tenía que quedarme dos noches seguidas. Eugenia está casada, debía atender a su hija Miryam que en ese momento estaba chiquita. Para mí, todo aquello era una pesadilla, no sabía muy bien qué hacer, cómo manejar la situación. Mi madre tenía cincuenta y cuatro años, un poco más de lo que yo tengo ahora. Era una mujer saludable, vital, siempre optimista. Había trabajado duro toda su vida como secretaria en una empresa de producción de papel. Muy temprano, casi a los pocos meses de mi nacimiento, ella y mi padre se separaron. Él se fue a vivir al sur, al Amazonas. Eso fue lo único que yo supe. Mi padre siempre fue una postal, un lugar lejano, que sólo conoceremos a través de una foto. Pero a mi madre eso nunca pareció importarle demasiado. Hablaba de él, y de su relación, sin rencor, sin amargura, como si secretamente ella estuviera feliz con lo que había pasado. A veces, casi llegué a pensar que, en verdad, fue ella quien lo despachó, quien le pidió que se largara, que la dejara sola con sus dos hijos. Ahora pienso que quizás en la muerte de mi madre está el origen de toda mi obsesión con el tiempo, con la edad, con haber cumplido ya cincuenta años y sentir que, a partir de ese capricho del calendario, todo es un riesgo, cada día es un riesgo. Yo apenas tenía un poco más de treinta, jamás imaginé que podía pasarnos algo así. Recuerdo con demasiada transparencia aquella noche en la habitación de la clínica. Mi madre estaba acostada en la cama y yo me encontraba sentado en una silla, junto a ella. El televisor colgaba del techo, frente a nosotros. Estaba encendido pero no tenía volumen. Apenas vi que mi madre se había dormido, le quité el sonido. Ella respiraba tan suavemente que, por momentos, me asaltaban dudas sobre si respiraba con absoluta normalidad. Llevaba ya tres semanas en la clínica, tendida en la cama, recibiendo un agresivo tratamiento de quimioterapia. En la televisión, transmitían la telenovela de turno, para la que yo estaba escribiendo los diálogos. Fue ella quien me pidió sintonizar el canal para ver el capítulo del día. Creo que sentía orgullo, o quizás tan sólo deseaba que yo sintiera que ella estaba orgullosa de mí. Pero se durmió casi inmediatamente. Yo me quedé observando las escenas sin sonido. Lo único que oía era el rumor lejano de la frágil respiración de mi madre, mientras, en la pantalla, veía aspavientos, gestos destemplados, gritos. Sabía perfectamente qué estaba pasando. Era un capítulo de *Primavera,* lo habíamos escrito hacía casi un mes. Pero en ese momento, de pronto, todo lo que aparecía en la pantalla me resultó tan desmesurado. Viendo las imágenes en silencio se hacía más exorbitante el artificio. La protagonista lloraba como sólo se llora en las telenovelas. Me sentí vacío, ridículo. Miré a mi madre. Tenía la boca entreabierta. La luz del televisor iluminaba con un azul tenue su rostro. Sobre su cara transcurrían de manera dispar algunas imágenes. El silencio se me hizo todavía más cruel. Hasta que, de repente, el monitor que registra la presión arterial comenzó a sonar. Una luz roja parpadeó. En la tele pasaban una propaganda de una bebida achocolatada. Las enfermedades no tienen corte a comerciales. Mi madre comenzó a convulsionar.

–Todo es legal, todo es correcto, no hay ningún problema.

Izquierdo no puede creer que se encuentre de nuevo ahí, en el mismo lugar, en la misma situación, de regreso a un estorbo que creía ya superado. Permanece gélido, mirando y escuchando a Quevedo.

–El *rating* ha seguido bajando, están desesperados. El Comité ha decidido darnos una oportunidad.

Puede imaginarlo perfectamente distribuyendo las cifras de *rating* por todos lados, repartiendo rumores, llevando de un lado a otro manadas de intrigas, presionando de mil formas y por todos los flancos al Comité.

–Ya se dieron cuenta de que el canal tiene que correr riesgos, que necesitan apostar por un proyecto ganador, como el nuestro. ¿No has visto la prensa últimamente? Todas las notas de farándula hablan de lo mismo, de lo mal que va el canal. Incluso en una columna alguien me puso como ejemplo, ¿qué tal? Citaba elogiosamente el tiempo en que yo fui gerente de Dramáticos.

Izquierdo sabe que toda esa alharaca de los medios también está financiada y orquestada por el mismo Quevedo. Paga notas, compra a periodistas, convierte la noticia en una campaña de promoción personal. En momentos así, el escritor extraña un cigarrillo. Después de tantos años, de repente siente una fugaz urgencia de nicotina, una necesidad inaplazable de aspirar una mancha gris. Su cuerpo, de pronto, necesita la defensa del humo.

–¿Y cómo resolvieron el problema legal? ¿Qué pasó con todos los cuestionamientos que hicieron los abogados y la gente de imagen corporativa?

Quevedo asoma la mitad de una sonrisa.

–Todo se resolvió. Esta semana se me prendió el bombillo –dice, tocándose la cabeza–. Tuve una idea genial. Teníamos la solución aquí mismo, en nuestras narices. ¿Por qué no se nos dimos cuenta antes?

Izquierdo lo mira perplejo, todavía no entiende nada. Por más que el vicepresidente de Proyectos Especiales lo mire con esa mueca divertida, como esperando que resuelva una adivinanza, él sigue desconcertado, sin atinar con la respuesta correcta. Está cada vez con peor humor.

–¡La solución está en la lluvia! –exclama por fin Quevedo.

Randy dice que los buenos poetas no usan la lluvia en su poesía. Dice eso después de leer un poema de despecho que escribí. Pensaba llevarlo al taller y leerlo, que es como decir llevárselo a Emiliana y leérselo. Pero Randy dice: ni de vaina. No lo hagas. Y vuelve a repetirme nunca llueve en los versos de los buenos poetas. Mi poema es sobre la lluvia. Sobre Emiliana y la lluvia. Es demasiado típico, dice Randy y, por lo tanto, no sirve. Ése es el problema. Que todo el mundo piensa que la lluvia es poética. Yo le dije que yo no tenía la culpa. Llueve y estoy despechado, le dije. ¿Qué quieres que haga? Pero al final me convenció. Terminamos hablando de otra cosa, me preguntó por su primo, por lo que habíamos hecho. Yo le conté lo que pasó, le dije que creía que su primo estaba loco. Chuleta tiene los cables cruzados, le dije. Le hubieras preguntado por Izquierdo, me dijo él. Randy piensa que quizás su primo sabe algo del suceso de nota roja, de la vez que Manuel Izquierdo cayó preso. Mi primo estaba activo en ese tiempo, dice. Y trabajaba en el departamento de narcóticos. Le hubieras preguntado. No lo hice, no se me ocurrió. La verdad, después de la despedida, mi ánimo con respecto a Izquierdo cambió un poco. Nos vimos por casualidad, después, dos veces, en el canal. Me saludó con cariño, en buen plan. Comencé a pensar que todo su problema conmigo era, más bien, su problema con el señor Quevedo y con el proyecto. Fui olvidando su cinismo, sus burlas, pero me quedó lo de la foto, siempre que lo veía recordaba la foto del periódico. Uno puede quedarse atrapado toda la vida en una foto, en la última página del periódico. En un tris. En un flash. Eso puede resumir tu existencia. Más allá de lo que hayas hecho antes o después. Nada importa. Sólo la vez que apareciste en las noticias de sucesos. Ni modo. Cuando veo a Izquierdo, también veo esa fotografía. Viene con él. Ya no puedo verlo solo. Es como si su imagen sólo fuera una capa, una piel que deja ver, de todos modos, otra cara detrás, el rostro de esa madrugada. Randy dice: ¡tú sí eres enrollado! Yo no digo nada porque sé que tiene razón. Deberías estar contento, también dice Randy. El proyecto va a comenzar de nuevo. Y habla entonces de Vivian, de Vivian Quiroz. Ahora sí vas a volver a verla, insiste. Se entusiasma. Pero yo, aunque ya no tengo poemas, sigo pensando en la lluvia. En Emiliana y en la lluvia.

Quevedo vuelve a contar cómo se le ocurrió la idea. No hay duda de que se siente muy orondo, piensa que ha salvado el proyecto y que lo que sigue es salvar el canal. Están de nuevo los tres reunidos en la oficina del vicepresidente. Son las diez de la mañana. Quevedo cuenta: está en su casa, con su mujer, sus hijos y sus nietos. No pueden salir al jardín porque llueve. No ha parado de llover en los últimos días. Los desastres se multiplican. Hay barrios enteros afectados, zonas del país sin luz. El gobierno responsabiliza de todo al fenómeno del Niño y al calentamiento global, pero lo cierto es que cada día que pasa aumentan los derrumbes, dejando a más familias damnificadas, sin techo, sin lugar adonde ir, sin nada.

–Mi jardín parecía una piscina, imagínense –acota Quevedo.

Algo aburrido, mientras su mujer encarga comida china y trata de organizar alguna actividad con los nietos, en el interior de la casa, Quevedo se sienta en su salón de televisor y sintoniza el canal de noticias. Es ahí, justo en ese momento, cuando empieza a concebir su magnífica idea. Transmiten un reportaje especial sobre el rescate de varias familias en uno de los barrios populares de la ciudad. El cerro se ha deslizado, llevándose varias casas. Lo que queda son escombros, lodo, restos de una arquitectura hecha con mucho esfuerzo y con mucho ingenio. Un señor sin camisa, empapado, lleva unas bolsas con ropas y otros enseres. Su mujer, llorando, angustiada, carga a sus dos hijos, uno en cada brazo. El más pequeño apenas tiene meses. La lluvia no cesa. El periodista, protegido con un largo impermeable de color morado, los retiene preguntándoles cómo se sienten, qué han perdido, qué piensan hacer ahora.

–¡Ahí me vino la idea, de repente! ¡Fue como si un rayo de luz me hubiera caído en mitad de la cabeza! De pronto, lo vi todo clarito. ¡Ahí estaban, carajo! ¡Ésos eran nuestros indigentes! ¡No teníamos que buscarlos en ningún lado! ¡Ellos estaban ahí, viniendo solitos hacia nosotros!

Según las últimas estadísticas, hay más de cien mil damnificados en el país. Quevedo ve, en estas cifras, un *casting* infinito, cantidades inmensas de talento virgen, dispuesto a participar en su proyecto.

–Sería un *reality* igual, con las mismas características, pero en vez de que los protagonistas sean indigentes, van a ser damnificados –explica Quevedo, fascinado con su hallazgo.

Cree que, de esta manera, además, se puede convertir una debilidad en una ventaja. Si la participación de mendigos en un proyecto podría traer problemas legales, o riesgos para la imagen pública del canal, la incorporación de los damnificados representa todo lo contrario. Según sostiene Quevedo, el programa formaría parte de la emergencia nacional que encabeza el gobierno. Es casi un proyecto educativo, de carácter social. Los participantes actuarán de manera voluntaria, con total conciencia de lo que hacen, compartiendo con la audiencia sus trágicas historias, aprendiendo a convivir juntos, de otra manera, compitiendo sanamente por el premio de quedarse, al final, con la casa donde se desarrolla todo el programa.

–¿No es una idea genial?

El muchacho mira instintivamente a Izquierdo, esperando de él una primera reacción. Izquierdo amaga con un matiz, dice que no ve gran diferencia entre un indigente y un damnificado, piensa que son dos formas de marginalidad. Quevedo no le da demasiado chance de explayarse. No hay tiempo que perder. Ahora empieza realmente el trabajo. Quevedo tiene muy claro qué hay que hacer, o, en todo caso, qué es lo que Manuel Izquierdo debe hacer, qué le toca. Ahora empieza realmente su trabajo. Es necesario poner toda la creatividad y toda la imaginación para lograr sacar unas historias buenas, duras, dramáticas, llenas de realidad pero también llenas de ilusión, profundamente aspiracionales, conmovedoras, eso sí, muy conmovedoras. Para eso necesita un libretista con experiencia, un libretista que entienda bien la naturaleza del proyecto, con todas sus fragilidades y sus limitaciones.

–Tú siempre has dicho que lo único que importa en este negocio son los sentimientos, ¿no es así, Manuel?

–Bueno –Izquierdo intenta farfullar–, cuando yo digo eso estoy pensando sobre todo en la telenovela y.

–¡Justamente! Ahora yo estoy pensando en telenovelas. Quiero que te plantees este proyecto como si fuera una enorme telenovela, un gigantesco melodrama social. ¿No te parece un desafío? ¡El país como una gran telenovela!

Izquierdo suspira. Siente que está de nuevo en el mismo hoyo, que ha regresado al lugar del que creía haber escapado. Quevedo se pone de pie, se acerca a ambos, habla ahora con otro tono, como si quisiera establecer un ánimo más cercano, de más confianza.

–También quiero que Pablito sea tu asistente. Quiero que él trabaje contigo.

Izquierdo y Manzanares se miran un segundo. Es sólo un chispazo, un estallido fugaz que se desgaja rápidamente en el aire. Sorpresa. Confusión. Incertidumbre. Una línea tensa, un aire erizado, envuelve al guionista.

–Yo trabajo solo –alcanza a esgrimir Izquierdo, después de una pausa.

–Esta vez no puedes hacerlo, Manuel. Yo necesito a alguien de mi equipo junto a ti, que pueda reportarme a cualquier hora lo que sea. Ese alguien es Pablito –insiste, dejando caer su mano sobre el hombro del joven Manzanares.

Pablo se siente muy incómodo debajo de esa mano y debajo, también, de la mirada endurecida del libretista. Ahora quisiera estar lejos. En la biblioteca de la Escuela de Letras, por ejemplo, leyendo poemas de Wallace Stevens. Así de lejos. En kilómetros y en palabras.

De pronto siente un pequeño apretón en su clavícula.

–Manuel Izquierdo –dice Quevedo, impostando la voz, con cierta pompa– ha hecho llorar a todas las mujeres de este continente. Con él vas a aprender mucho, Pablito.

Salí de ahí lo más rápido que pude. Me sentía malísimo, humillado. Y lo peor es que todavía la lluvia no había parado.

Llovía. Encima de todo, seguía lloviendo. La reunión había sido insoportable. Yo estaba harto. En un momento sentí que tenía taquicardia.

Se encuentran de nuevo en la puerta del canal. Hay mucha gente protegiéndose debajo del pequeño techo que cubre la entrada. Ambos se miran de reojo. De inmediato se ignoran, se evitan. Luego, como si se hubieran puesto de acuerdo, se lanzan a la calle al mismo tiempo, apremiados. Caminan en direcciones contrarias. Ninguno de los dos lleva paraguas.

9

–¿Tienes novia?

Izquierdo suelta la pregunta a quemarropa, sin mirarlo. Se encuentran en una pequeña sala de edición, sentados frente a una pantalla que apenas se despega de las inmensas máquinas, llenas de luces y botones, que sirven para ensamblar, cortar y pegar cualquier material que se haya grabado. El aire acondicionado es tan frío que el lugar parece un quirófano. Esperan a un operador que les va a mostrar el resultado del trabajo que realizó el departamento de *casting*.

Hasta este momento no se habían reunido. Pasaron varios días antes de que la secretaria de Quevedo le avisara que Manuel Izquierdo le había dejado un mensaje, una cita para el miércoles que viene, a las nueve, en posproducción. Hoy ya es ese miércoles. Llega puntualmente y tiene que esperar diez minutos hasta que Izquierdo aparece, enfundado en su chaqueta de pana marrón. El escritor lo saluda casi hierático. Le dice a un empleado que vienen de parte de Quevedo y el empleado confirma que ya la gerencia de Proyectos Especiales ha mandado un memorando con instrucciones concretas. Los pasan de inmediato a una pequeña sala, les dicen que esperen, que ya van a mandarles un editor. Justo entonces es cuando Izquierdo lanza la interrogante. Sin mirar.

–¿Tienes novia?

La vi acercándose por el pasillo. Venía con sandalias, eso me mató. Sus pies pequeños, delgados, amenazaron con robarse mis palabras. Pero resistí. Estaba decidido a aclarar las cosas. Randy decía que era un error, que no tenía nada que hablar con Emiliana. Ella ni se dio cuenta de que tú estabas en esa fiesta, decía Randy. Y yo: ¡qué importa! Y él: ¿y entonces para qué vas a hablar? Tú no lo puedes entender, dije yo. Porque es la verdad. Porque Randy no entiende por qué yo estoy tan emperrado con Emiliana. Y por eso mismo tampoco iba a entender por qué necesitaba hablar con ella, pedirle excusas por la borrachera, aunque sea una borrachera que ella jamás vio, que no conoce. Pero es mía, tan mía como ella misma, como Emiliana, que tampoco sabe todo lo que siento, que tampoco sabe que con sólo ver sus pies se me ponen a temblar todos los botones.

Tenía un plan. No era algo muy elaborado. Mi plan era acercarme, saludarla, qué hubo, Emi, y tal y cual, hablar un rato y, sin anestesia, a la primera oportunidad caerle directo, de una, y pedirle excusas, decirle la verdad, decirle que me sentía muy mal por lo de la fiesta, que me había descontrolado, que casi que era la primera vez que me pasaba algo así, pero que en realidad ella tenía que ver con esa, bueno, bueno, en realidad tú no, digo, si y no, en realidad fue tu novio, el tipo con que llegaste esa noche, ese imbécil con demasiados metros de alto y demasiados dientes blancos y. Ése era el plan. Llegar y decir lo que me quemaba por dentro, dejar sueltas el montón de palabras que tenía amarradas en la garganta. Y así llegué y me acerqué, como si nada; la saludé, como si nada. Ella me miró y me saludó con una extraña sonrisa melancólica. ¿Tienes un segundo?, le pregunté. ¿Podemos hablar? Emiliana dijo que sí. Y nos apartamos un poco, hacia el final del pasillo, hacia donde está el Centro de Estudiantes. Apenas comencé a hablar, a pedirle disculpas, ella me miró desconcertada. Luego se echó a reír. Ni siquiera pude llegar al punto donde le decía que todo era culpa de ella, sí y no, más bien del idiota con metros y dientes de más. Ni siquiera. Porque se reía. Y lo peor era que su risa me encantaba. Era una risa sincera, desprevenida, divina. Ni siquiera sabía que habías ido a esa fiesta, me dijo. ¿Tú estabas ahí?, me preguntó. ¿Y por qué no me saludaste? ¡Te hubieras acercado! ¡Así te hubiera presentado a Reinaldo!

¡Reinaldo! ¿Reinaldo? ¡Reinaldo es nombre de marico! Eso fue lo primero que pensé. Jamás antes había pensado eso, pero en ese instante fue lo que me vino a la cabeza. No tenía ideas, solo torpedos. También pensé: ¿y si se lo digo ahorita? Y de inmediato además pensé: ¿decirle qué? Estaba difícil ¿Desde que te vi me mueves el piso, Emiliana, me traes loco? ¿Cómo no te das cuenta que tienes que estar conmigo y no con ese tarado que se llama Reinaldo? Pero esa pregunta se me atoró en las amígdalas. Supongo que fui yo quien puso cara de tarado hasta que ella, todavía sonreída, señaló la puerta de un salón y me dijo que tenía clase de teoría literaria con el profesor Romero. Estamos leyendo a Bajtín, me dijo, entusiasmada. Gran vaina, pensé. ¿Quién está hablando ahora de ese tal Bajtín? ¡Estamos hablando de ti y de mí! Nos vemos después, también dijo, y comenzó a alejarse hacia la puerta del salón. Yo sólo vi sus sandalias, flotando, alejándose. Me vino un ataque no sé de qué, me vino un rapto, como un corrientazo, y ya no pude controlarme. La alcancé justo cuando estaba por abrir la puerta. Espera.

Espera, le dije.

Tú me gustas, le dije, después de un silencio.

Me gustas mucho, seguí diciendo porque había más silencio.

Yo estoy enamorado de ti.

¡Y también trabajo en la televisión!, le dije.

Cuando yo empecé, Gerardo Lima ya era viejo. Al menos, para mí, ya era un hombre mayor. Han pasado todos estos años y él sigue igual. No tiene edad definida. Es como si hubiera llegado a un punto donde ya es imposible envejecer más, y ahí se aparcó, serenamente. Así ha permanecido durante las últimas dos décadas, siendo toda una institución, el gurú de la telenovela nacional. Nació en Cuba y, en los primeros años de la revolución, huyó de la isla, según reza una leyenda, llevándose varias maletas hinchadas de libretos. Ése fue su equipaje, los grandes éxitos de la radionovela cubana. Llegó al país y lentamente se fue labrando su destino hasta trabucarse en esa suerte de mito, de figura sagrada, que supuestamente sabe todo lo que se puede saber sobre el género del melodrama. Al menos, eso piensa mucha gente en el canal: creen que Gerardo Lima conoce todas las respuestas, que es el Dalái Lama de la cursilería

Gerardo Lima y yo nos detestamos de manera inmediata. Apenas nos conocimos. Lo nuestro fue repulsión a primera vista. De entrada, yo tuve una desventaja genética. Él pensaba que, en general, el amor y la ramplonería eran condiciones femeninas, que se daban de manera natural en las mujeres, que unos ovarios y un par de tetas garantizaban las destrezas narrativas necesarias para escribir una buena escena. Creía que un hombre podía ser un buen guionista siempre y cuando fuera gay. La homosexualidad masculina no llegaba al ideal pero se le acercaba, cumplía con el atributo del alma femenina despierta, atenta, con una disposición innata para la escritura sentimental. Las teorías de Lima no me daban muchas posibilidades. Además, había otro elemento: Lima detestaba cualquier idea que no fuera estrictamente televisiva. Según él, ya todo había sido escrito. En el gran cielo de los libretos, ya no había lugar para una idea original, para un invento que él no tuviera ya organizado en cien capítulos. Desconfiaba de todos los que habíamos ido a la universidad, de todos los que aspirábamos a escribir telenovelas distintas, más modernas, con otros conflictos y otros lenguajes. «Quieren inventar a Shakespeare», decía con sorna. Apenas supo que yo había trabajado en la biblioteca nacional, me miro con suspicacia. Todavía hoy sigue pensando y diciendo lo mismo. Es asesor de Dramáticos, tiene una oficina en el piso cinco. Cada cierto tiempo, al igual que Quevedo, logra que le den una nueva oportunidad y resucita.

Si hoy le dieran el chance, volvería a sacar de alguna sombra de su memoria una vieja historia que ya ha reescrito y regrabado y retransmitido quince veces. Lima piensa que la telenovela es el arte de la repetición. Su idea del máximo clímax dramático es una villana que empuja a un paralítico en silla de ruedas a una piscina. El paralítico, que no puede mover ni siquiera las cuerdas vocales, grita en playback su impotencia y desespero: «¡Si yo pudiera decirte la verdad, María Fernanda!», aúlla su pensamiento, en un soliloquio desesperado, justo antes de hundirse en el cloro de la alberca. Nunca falla. En todas las novelas que asesora Lima siempre aparece esa escena. No importa si es una historia rural, si se trata de un drama juvenil, si es un relato de época..., siempre, en algún momento, algún personaje tiene un accidente, queda paralítico y sin habla, imposibilitado de decir un secreto, y se muda, o lo mudan, a una casa, a una hacienda, o a una clínica, donde por supuesto hay una piscina.

Hoy, al levantarme, pensé en Gerardo Lima.

Volví a despertarme a las tres de la madrugada. Otra vez, un sobresalto me sacó del sueño. Al principio creí que era un problema de presión alta. Es muy raro cumplir cincuenta y no ser hipertenso. Es otro de los síntomas de la edad. Hace seis meses tuve que comprarme un tensiómetro eléctrico que se ajusta en el brazo y rápidamente te indica cómo está tu presión arterial, la alta y la baja, y qué tal brinca tu pulso cardíaco. Esta madrugada, al levantarme, me sometí a la prueba: 12,7 y 8,4, todo en orden. Estoy comenzando a pensar que quizás la causa de estas repentinas despertadas reside en que, de un tiempo para acá, lo último que hago antes de dormirme es ver las noticias. Debería leer una novela o ver una película, pero desde que Quevedo me puso en el trance de su nuevo proyecto me he puesto a seguir lo que ocurre con las lluvias y los damnificados. Hay testimonios de todo tipo. Hace dos noches, en un refugio, apareció una señora llorando, contando que ella era de un lote anterior, que había quedado sin casa con las lluvias de hace dos años, que llevaba casi cincuenta meses viviendo en ese lugar. Ese campamento improvisado ya era, de algún modo, su casa. Quería defenderla ante la invasión de los nuevos damnificados. Después de verla y oírla, tomé unas notas en una pequeña libreta que tengo junto a la cama. Y me dormí. Pero estoy seguro de que, al cerrar los ojos, se me queda toda esa marea adentro y paso la noche, o al menos una buena parte de ella, con esas imágenes y esas voces invadiendo también mi sueño. Los noticieros son un golpe bajo al inconsciente.

Fui a preparar café en la cocina y, todavía bajo los efectos del sopor del sueño, recordé de pronto a Gerardo Lima. «¿Para qué tienes a un niño en una telenovela?», me preguntó, tan seriamente, como si fuera un comisario en un interrogatorio. Fue hace veinte años, por lo menos. Estábamos en la sala de escritores del canal. Yo acaba de ser ascendido y enfrentaba como jefe de equipo mi primera adaptación. Me habían pedido que escribiera una versión de un clásico que ya ni recuerdo, no sé si era una obra original de Inés Rodena o de Félix Benjamín Caignet, pero estoy seguro de que era un clásico de la radionovela cubana. Por eso estaba ahí, reunido con Gerardo Lima. La novela llevaba ya un mes en el aire, los números no estaban mal pero tampoco eran excelentes, le ganábamos a la competencia pero todavía nos faltaba algo para lograr convertirnos en un éxito de audiencia. La gerencia quería más. Suele ocurrir. La gerencia siempre quiere más. No hay nada tan adictivo como el *rating*. Ni siquiera la heroína. «¿Para qué tienes a un niño en una telenovela?», repitió Gerardo Lima, mirándome fijamente a los ojos. Aludía a nuestra protagonista, María Alejandra del Castillo, quien según recuerdo tenía un bebé de apenas un año, hijo del galán de la historia por supuesto, a quien ella, por pura dignidad, jamás le había revelado esa verdad. Yo traté de balbucear alguna respuesta más o menos potable. Dije algo sobre la inocencia, apelé a la reconstrucción familiar, intenté pensar en alguna tragedia griega, mientras el gurú tan sólo meneaba acompasadamente su cabeza frente a mí, negando cada una de mis frases. Hasta que me quedé sin palabras, no tuve nada más que decir. Lima, sin dejar de mirarme, gozando el instante, volvió a inquirir. «¿Para qué tienes a un niño en una telenovela?» Silencio. Más silencio. Golpeó entonces, con triunfante entusiasmo, la mesa y me espetó la respuesta correcta: «¡Para que lo secuestren, coño! ¡Para que lo secuestren!»

La sabiduría de Gerardo Lima se resume en una fórmula bastante sencilla. Él mismo me la contó, en plan pedagógico, al poco tiempo de conocernos. Una tarde, en su oficina, me dijo que la clave del éxito era pensar siempre en el público y me ofreció su particular definición de la audiencia: «Tienes que pensar que del otro lado de la pantalla quien te ve es una mujer que sólo estudió hasta tercer grado de primaria; una mujer que vive en el tercer terraplén de un barrio popular; una mujer que tiene tres hijos y tres dientes.» Ése era todo su andamiaje teórico, toda su elaboración. Durante un tiempo, fue conocida como la teoría de los tres, la famosa teoría de los tres de Gerardo Lima. Tres grados de primaria. Tres terrazas en un barrio popular. Tres hijos. Tres dientes. Aludían a esa suma como si fuera un tratado de antropología cultural, convertido de pronto en eficaz método de éxito comercial. Era, a un mismo tiempo, una metáfora del país y un valor estadístico. Una mujer pobre estaba allá afuera, jadeando, esperando que le tiráramos un sueño. «Para ella tienes que escribir.»

Durante varias semanas siguen la misma rutina cada miércoles. Pasan casi todo el día en el canal. En las primeras sesiones, Izquierdo habla poco, toma notas, luce casi ensimismado, distante. Desaparece a mediodía, citando a Pablo para las tres de la tarde. Casi nunca llega puntualmente. Un miércoles llama por teléfono, dice que le ha surgido un inconveniente personal, que seguirán la próxima semana. Pero es evidente que está en un bar. Ese bullicio típico de voces y vasos se filtra a través de la línea telefónica. Poco a poco, sin embargo, el libretista va aflojando el ánimo. Como si fuera parte de una inercia, del relato natural de la relación, lentamente Izquierdo comparte algún comentario, casi siempre cínico, sobre lo que observa en el monitor. También platica sobre sus anotaciones, sobre lo que va pensando. Pablo teme, a veces, que todo sea parte de una estrategia personal para retrasar el proceso. Quevedo se desespera, le pide explicaciones, no entiende por qué demoran tanto.

–Presiónalo, Pablito. Para eso te puse ahí –dice.

Pero el muchacho no halla cómo hacerlo, siempre fracasa. Izquierdo rechaza la primera selección de participantes que organizó el departamento de *casting*. Le parece que está mal enfocada.

–¡Todos los que escogieron son unos expertos en dar declaraciones a la televisión! –critica, con sarcasmo–. ¡Parece que en el canal tuvieran un curso de entrenamiento para pobres que quieren salir en la pantalla y quejarse del Estado!

Detiene la imagen en la pantalla, señala momentos concretos. Se mofa de lo que él llama la «retórica del periodismo de calle».

–¡Todos hablan igual, coño! ¡Todos dicen lo mismo! ¡Nosotros no queremos hacer un noticiero!

Pero, en sus cuestionamientos, su objeción principal se centra en la ausencia de mujeres. La selección que se ha hecho es, según Izquierdo, fundamentalmente masculina. Eso es un gran error, el peor error del mundo. Queremos hacer una telenovela, dice Izquierdo. La telenovela es un género femenino, asegura. Lo ven esencialmente mujeres. Es un cuento íntimo, sentimental. Los hombres no tenemos intimidad, exclama en voz alta, como si le diera un regusto decir eso. Con esos testimonios, sentencia, aludiendo a la oferta que ha propuesto el departamento de *casting*, sólo podemos hacer un partido de fútbol. El proyecto es otra cosa. Necesitamos mujeres. Muchas mujeres. Todo lo que ocurra en este programa tiene que ocurrirle a una mujer. De eso se trata.

Dos meses después, Izquierdo ya le ha dado forma al programa. Una tarde, al final de la jornada, convida a Pablo a tomar un trago y a conversar. Lo lleva a una tasca cerca de la Avenida Francisco de Miranda, suficientemente lejos del canal. Es un lugar pequeño y desangelado, de precios baratos y baños sucios. Izquierdo busca una mesa lo más apartada posible de la barra. Pide un vodka con aguakina y una rodaja de limón. Pablo prefiere una cerveza. La confianza entre ambos ha ido creciendo, las horas compartidas, viendo testimonios de personas a quienes la lluvia dejó sin nada, han ablandado las tensiones. Pablo ha ido entendiendo el cinismo de Manuel Izquierdo, su descreimiento natural ante todo lo que le rodea. Izquierdo ha ido asumiendo que Pablo es un aprendiz, un joven sin mucho rumbo, llevado por las circunstancias familiares a seguir las órdenes de Quevedo.

–¿Para qué tienes a un damnificado en un programa de televisión? –pregunta de pronto Izquierdo, con mueca grave, mirando fijamente al muchacho.

Pablo tiene de repente la misma sensación que lo envuelve cuando está en un examen oral. El profesor frente a él, auscultándolo detenidamente, esperando la respuesta acertada.

–¿Para qué tienes a un damnificado en un programa de televisión? –insiste Izquierdo. Mueve la mano, invitándolo a decir cualquier cosa, lo primero que se le ocurra, invitándolo a equivocarse.

–No lo sé –dice, quizás más bien balbucea, mientras intenta adivinar la respuesta correcta–. Para conmover a la gente, ¿no? ¿Para que la gente vea esa realidad de cerca y se sensibilice? ¿Para que sigan las historias de los damnificados como si fueran telenovelas?

–Eso es lo que dice Quevedo. Eso es lo que él desea. Pero no va a ocurrir. Tú y yo tenemos que estar conscientes. Vamos a escribir un fracaso.

Llegué a casa tarde, estaba eléctrico, todavía impresionado, y me encontré a mi mamá sentada en el sillón de la sala, molestísima, esperándome. Volvió a cantarme todos sus éxitos de madre. Empezó con *Esta casa no es un hotel,* una canción que le encanta, sobre todo cuando viene el coro y alza la voz, y casi grita. Luego siguió con *¿Dónde estabas tú?,* con *¿Qué te cuesta llamarme?,* con *Solo te pido un poco de respeto,* con una versión corta de *Tú no vives solo,* para terminar a toda mecha con uno de sus temas preferidos: *Dime, ¿qué soy para ti?* Yo soporté la vaina lo mejor que pude. Pero me había tomado siete cervezas. Ella se dio cuenta, por supuesto. Apenas entré lo olió. Así que entre canción y canción también improvisó algunas notas, adelantando lo que de seguro será un próximo clásico: *Encima vienes borracho.* ¿Se puede saber qué estabas haciendo a estas horas?, algo así me preguntó. Porque en la universidad no hay clases hasta la una de la madrugada, me dijo. Yo le dije la verdad: estaba trabajando. Ella se puso más brava. Yo no soy pendeja, Pablo. No me trates como si fuera pendeja, me dijo. Ella, que casi no usa groserías. Esas palabras fueron un síntoma. Estaba alterada de verdad. Le dije que mi jefe me había llevado a un bar a conversar. ¿Estabas con Quevedo?, preguntó. Y yo que no, que ahora tengo otro jefe. Manuel Izquierdo, se llama. Es escritor, le dije. Ella torció la boca, torció los ojos, torció hasta las cejas, torció hasta su sombra que estaba detrás de ella, pegada en la pared. Esto no me gusta nada. Algo así dijo. Pero, bueno, mamá. Tú fuiste quien se empeñó en que yo trabajara en la televisión. Sí, dijo ella, pero no así, no en esto. Y subrayó el esto. Lo dijo con un énfasis especial. Como si ese *esto* fuera mi aliento a cerveza. Como si ese *esto* fuera esa hora, la una de la madrugada. De pronto, se le aguaron los ojos. Me jodí.

–Para hacer llorar a las mujeres. Para eso tienes un damnificado en la televisión.

Pablo se queda en silencio. Izquierdo levanta la mano y, con una seña, pide que pongan otra ronda. Más cerveza, otro vodka.

–¿Entiendes?

El joven asiente con la cabeza. Ha estado escuchando atentamente al libretista. Izquierdo se ha explayado sobre las diferencias entre los distintos géneros televisivos. Le ha explicado que, al contrario de lo que pudiera suponerse, la televisión no es una industria flexible. Cada producto tiene unas leyes de funcionamiento muy específicas, rígidas.

–La televisión no tolera la ambigüedad.

Izquierdo sostiene que no es posible traicionar los procedimientos estrictos de la industria. Cree que la televisión sólo vive de los estereotipos, que no admite complejidades. Por eso vaticina un fracaso rotundo. El proyecto de Quevedo es un injerto raro. Quiere ser y no ser un *reality show* y, al mismo tiempo, quiere ser y no ser una telenovela. En la televisión no funcionan esas mitades. Eso piensa Izquierdo. Lo único que producen son monstruos.

–Los *reality* también tienen reglas muy definidas –explica Izquierdo, mientras con la mano pesca tres o cuatro aceitunas negras–. Se trata de un formato. Si tú quieres hacer un *reality,* compras un manual y lo sigues, te guías por una cantidad de procedimientos. Eso no se improvisa. Y lo mismo pasa con la telenovela. No puedes juntar esas dos vainas y tratar de hacer un cóctel. Porque corres el riesgo de que te salga ornitorrinco, ¿me explico?

Me arriesgué y le dije al hijo del loco Manzanares lo que pienso. Ya llevamos varios meses trabajando juntos. Es un bueno muchacho, lo único que tiene a favor y en contra es justamente eso, que sólo es un muchacho. Lo llevé a un bar y me abrí, le dije lo que pensaba. No creo que salga corriendo a contárselo a Quevedo. Aunque ahora tengo mis dudas. Así actúan los tragos. Primero nos llenan de entusiasmo, nos dan una confianza extraordinaria, y luego, con la misma velocidad y con la misma eficiencia, nos roban, nos dejan sin nada, frágiles, inseguros. Cuando estaba en el bar, me sentía infalible, tuve la certeza de que Pablo me escuchaba con atención, casi con veneración, que estaba de mi lado, que era de mi equipo. Pero a medida que han ido pasando las horas, cuando ya salté del vodka a un vaso de agua, cuando dejé la tasca y la calle y me senté frente a este espejo que es la computadora, todo se ha ido mudando. El alcohol siempre cumple su tarea. Al final, nos bebe.

Estaba sentado, revisando el proyecto que quiero presentarle a Quevedo, cuando de pronto sentí una puntada en el costado derecho, debajo de los pulmones. «¡El hígado!», fue lo primero que pensé. Me sentí culpable y temeroso repentinamente. Calculé en silencio cuántos vasos de vodka me tomé. ¿Cuatro? ¿Cinco? ¿Nos dieron al final un trago más, a cuenta de la casa? Escribí en Google: «¿El hígado duele?» Fue peor. No sé por qué cándido motivo pensaba yo que la respuesta iba a ser tranquilizadora. Después de leer tres informaciones, decidí que era mejor prepararme un té de raíz de onoto. Es una receta de mi abuela. Le tenía tanta fe al onoto como al espíritu santo. Y decía que era un remedio magnífico para el hígado. Siempre tengo algunos trozos de raíces de onoto, envueltos en una servilleta de papel, dentro del refrigerador. Puse a hervir el agua, tratando de que mi ansiedad se calmara. Me quedé de pie junto a la estufa, intentado armar la película de lo ocurrido en la tasca esta noche. ¿Acaso cometí una imprudencia? ¿Dije algo que pudiera dejarme mal ante Quevedo? Mi falta de confianza en el proyecto no es ninguna novedad. Quevedo la conoce. Sabe que no creo en esto. Probablemente no le guste que desanime a su asistente de esa forma, pero igual tampoco es nada demasiado grave. Lo demás fue puro trabajo. Le conté a su Pablo las ideas que tengo, lo que me propongo hacer. Cuando el agua hirvió, ya estaba más tranquilo. Aunque todavía recordaba la imagen del perro.

–Mi plan es que tengamos cuatro mujeres y tres hombres. Como personajes fijos, los que de manera permanente van a estar viviendo en la casa.

Izquierdo habla con entusiasmo, luce contento con su propia inventiva, con impresionar a Pablo con su talento y experiencia.

–Lo ideal es que ninguno tenga mucho más de cuarenta años. La televisión tampoco soporta a los viejos –acota, con cierta sorna, antes de pedirle al mesonero que traiga, por favor, un poco más de limón.

Izquierdo saca un bolígrafo, toma una servilleta y dibuja un croquis sobre el papel. Es un resumen del melodrama que está diseñando, nada definitivo todavía, pero ya se van aclarando algunas líneas dramáticas. Dice que lo mejor es seguir la ruta de los arquetipos. Ya tiene definidas tres de las cuatro mujeres:

–Una debe ser puta; otra, una villana, arribista y ambiciosa, sin un gramo de solidaridad; y la tercera sería nuestra protagonista: joven, llena de ilusiones, una muchacha que todavía no se ha enamorado de verdad. Ella sería la actriz de Quevedo. ¿Recuerdas a la muchacha de las fotografías?

–¡Por supuesto! ¡Está buenísima! –Pablo casi grita, animado también por su quinta cerveza.

Izquierdo piensa que es importante tener, entre los personajes masculinos, a un hombre recio y duro, un replicante, descontento con todo, siempre dispuesto a quejarse y a protestar; un personaje que ofrezca una experiencia catártica a una parte de la audiencia, que drene y exprese la rabia, el descontento, el miedo. El otro personaje masculino debe ser un hombre destrozado emocionalmente: ha perdido a su esposa en la tragedia. No sabe nada de ella. Todo indica que ha muerto.

–Es un recurso para el melodrama –explica Izquierdo–. Cuando hayan pasado tres meses, y con ese hacinamiento encima, ponemos a una de las mujeres a consolar a este tipo. Así, en una noche, con alcohol, con algo de melancolía, inventamos una situación y los ponemos a besarse, a encamarse, a darse un pingazo. Cuando los tengamos bien juntos y enredados, hacemos que aparezca la esposa. Resucitamos a su mujer y la metemos también en la casa, ¿qué te parece?

Izquierdo dice que la telenovela lo ha hecho algo experto en el sufrimiento femenino. También dice que el llanto de las mujeres se divide en tres categorías. El pujito, el jimoteo y la llorantina. Mi mamá se quedó en la primera. Pujó un poco pero hasta ahí. Claro que Izquierdo también me dijo que cada una de esas categorías tiene además sus subcategorías, que él ha estudiado bien el asunto. Otro día te lo cuento, me dijo. No le dije nada de esto a mi mamá porque no me pareció prudente. Sólo la miré y recordé esas divisiones. Ahí estaba, pujando, como si tuvieras las lágrimas amarradas detrás de la cara, como si alguien estuviera ahí, jalando, impidiendo que se soltara finalmente a llorar. Además, típico, me lo sacó. Mira cómo me tienes, dijo. Mira que por poquito me haces llorar, también me dijo. Yo le pedí disculpas, le dije que se me había pasado la hora, que mi celular se quedó sin saldo, que. Estuve como media hora dándole muela, contándole del canal, de la graaaaan oportunidaaaaad que, gracias a ella, a su esfuerzo y su confianza en mí, me estaban dando en el canal. Manuel Izquierdo es uno de los mejores escritores de televisión del país, le comenté. Ella me dijo que eso no importaba, que tuviera cuidado, que toda esa gente bebía mucho, que hacía mucho de todo, de todo lo peor. Droga, sexo, cuanta porquería exista, está en la televisión. Ese Izquierdo estuvo una vez envuelto en un escándalo, me dijo. Yo lo recuerdo bien, repitió varias veces. Ése era el miedo que yo tenía. Y se lo dije a Rafael Quevedo. Le dije: lo único que te voy a pedir es que tengas cuidado con mi hijo. Yo conozco ese ambiente. No quiero a Pablito en nada de drogas, en ninguna de esas fiestecitas, en ese relajo de ustedes. Y él me dijo que sí, que claro, que todo había cambiado, que ya la televisión no era así. ¡Mamá! ¡Coño! Me desesperé un poco. Porque no se callaba. Porque andaba embalada, dale y dale con lo mismo. Le dije que no. Que nada de eso estaba pasando. Que sólo fui a una tasca con Manuel Izquierdo. Él y yo solitos. Cinco cervezas, mamá. (Le resté dos para que el siete no la golpeara.) Tampoco es tanto. No soy un carajito. Ya tengo veintiuno. Está bien, está bien, dijo ella, con un aire de terminar ya con la escenita. Y me hizo jurarle que la próxima vez la llamaría, que no regresaría tan tarde, que no me convertiría en un alcohólico, que jamás probaría la cocaína, que.

Yo te juro todo, mamá. Lo que tú quieras.

En mi mesa de noche tengo un libro de Víctor Valera Mora. Me lo prestó Randy. Tú que quieres ser poeta, léete esto, me dijo. Pero no he podido pasar del primer poema. Es buenísimo pero siempre me deja mal, pensando en Emiliana. *Cómo camina una mujer que recién ha hecho el amor / En qué piensa una mujer que recién ha hecho el amor.* Así comienza. Ya no necesito abrir el libro. Me lo sé de memoria. Me tiré en la cama, boca arriba, puse las manos debajo de la cabeza y me puse a masticar el poema, bajito, pensando en Emiliana. También pensaba en esa noche con Manuel Izquierdo. En su teoría del llanto. En cómo hablaba. Como si fuera un experto en mujeres. ¿Tienes novia? Me había preguntado. Yo le dije que no. Le dije que no pensando en Emiliana. Cuando la agarré en la puerta del aula 208 y le solté toda la verdad, ella se quedó muy sorprendida. La situación era muy rara, la puerta estaba entreabierta, se oía la voz del profesor, diciendo algunas cosas, yo no recuerdo ninguna, pero sí recuerdo su voz, sonando. Y Emiliana me miraba, no sé si con susto o con asombro, o con los dos, con susto y con asombro. Sus ojos me parecieron más grandes. Tú me gustas, me gustas mucho, le dije. Y como seguía callada, le metí más candela a las frases. Estoy enamorado de ti. Pero nada, igual. Abrió un poco los labios. Yo sentí frío debajo de la lengua. Esos labios, delgaditos. Y como no soportaba que ella siguiera en silencio, le solté lo de la televisión. De puro nervio. De puro idiota. Ella siguió igualita. Hasta que de pronto sonrió, con una sonrisa rara, una sonrisa cortés, y yo nunca utilizo esa palabra, jamás uso la palabra cortés, así que fue una sonrisa rara. Me dijo algo que no entendí, fue como un susurro, una frase apretada, como si me pasara rapidito unas palabras dobladas, arrugadas, y se metió en el salón de clases. Quizás, en realidad, no me dijo nada. Quizás sólo hizo un ruido, dijo algo incomprensible, para salir del paso, para huir.

Cuando salimos de la tasca, ya era tarde. La calle estaba vacía. Izquierdo me dijo que vivía cerca, que me iba a acompañar a la avenida para que agarrara un taxi. Yo creo que estaba un poco jalado. Quizás los dos estábamos así, como entonados. Serían casi las doce. Desde que hay crisis eléctrica, la ciudad está peor iluminada. Caminamos un rato entre las sombras. Antes de llegar a la esquina, de pronto, un perro cruzó y nos dio tremendo susto. Todo estaba demasiado oscuro. Entonces Izquierdo se sonrió y me preguntó qué era lo peor que yo había hecho en mi vida. Yo de inmediato pensé en el novio de Emiliana, en el indigente que estaba tirado cerca del Guaire.

–¿No has hecho nada malo? ¿No te arrepientes de nada?

El muchacho hace un gesto vago, propone una sonrisa floja, pero no termina de decir nada.

–No recuerdo así, nada demasiado grave –contesta.

Luego quedan callados durante unos segundos. Sólo suenan sus pasos sobre el cemento de la acera.

–¿Y tú? –se atreve Pablo a preguntar–. ¿Qué es lo peor que has hecho?

Izquierdo también se detiene, mueve la espalda, como si quisiera enderezar sus clavículas, mira a la distancia, hacia las sombras. Pablo, dudando, lo observa. Se arriesga todavía más:

–¿Nunca tuviste problemas con nada? –inquiere, intentando que su voz suene firme y, a la vez, natural–. ¿Nunca te detuvieron? ¿No tuviste jamás problemas con la policía?

El rostro de Izquierdo es indescifrable. Voltea hacia al joven, lo ve como si remotamente buscara la última intención de esas preguntas. Pero sonríe. Casi afable. Casi piadoso.

–Hace años –dice de pronto–, le prendí fuego a un perro.

Pablo no puede evitar un desconcierto, no sabe si habla en serio. Izquierdo ladea la cara, le ofrece otra breve sonrisa, apenas asiente.

Izquierdo lo relata pausadamente, sin aspavientos. Sucedió en esas mismas calles. Venía caminando, era de noche. De pronto, apareció un perro callejero. Estaba sucio y mojado. Olía a gasolina, a gasoil, a algún material combustible. Tenía en los ojos un inmenso resentimiento. Se paró frente a Izquierdo, como si quisiera enfrentarlo, le gruñó.

–En ese tiempo, yo todavía fumaba.

Con calma, sacó una caja de fósforos del bolsillo de su chaqueta. Tomó un cerillo, lo raspó contra el borde de la caja, lo dejó caer sobre el pelambre del animal.

–El cuerpo se volvió una sola llama, de inmediato.

Sólo escuchó un aullido. El perro salió disparado, envuelto en su propio incendio, corriendo, tratando de huir de sí mismo. Cruzó de una acera a otra, dio dos vueltas. El fuego iba iluminando toda la calle.

10

Contrariamente a lo que más de alguno sospecha, la idea de concursar en un programa televisivo es muy bien recibida por los damnificados. La cantidad de hombres, mujeres, familias enteras dispuestas a participar en el *reality show* es sorprendente. El primer día, se inscriben seis mil setecientas veintidós personas. Todos adultos. Todos quieren hacer una audición. El canal se ve orillado a habilitar, a toda velocidad, un segundo foro para responder a tan alta demanda. En el estudio 4 se han dispuesto ya seis módulos distintos para hacer lo que se ha denominado «pruebas de talento». De inmediato, se organiza el mismo esquema en el estudio 5. En cada uno de los módulos de ambos estudios se ha diseñado un pequeño set, con tres paredes y un aforo de salida. Cada set, además, cuenta con una cámara fija y otra móvil, que registran una pequeña entrevista con cada uno de los posibles participantes. El departamento de prensa dispone que todos sus pasantes, estudiantes universitarios que cumplen con una breve temporada de trabajo gratuito en el canal, sean los encargados de desarrollar el breve cuestionario que se ha elaborado con la ayuda del escritor Manuel Izquierdo. El departamento legal ha sugerido que, durante todo el proceso, estén presentes, como invitados y testigos, un fiscal del Ministerio Público y algún representante legal de la Comisión de Derechos Humanos. Quevedo dice que sí pero luego desatiende esas solicitudes. En realidad, tiene faenas más importantes que enfrentar. Supone que no es necesario tanto remilgo ante las autoridades. Vive sobreexcitado. Se siente de nuevo al frente de la batalla. Piensa que el éxito obtenido entre los mismos damnificados es una señal inequívoca de lo que pasará con el programa en el aire: un triunfo total. Ya puede saborear las altas cifras de audiencia. El orgasmo del *rating* está cada vez más cerca.

Hay, incluso, peleas. Los damnificados, organizados en largas filas, presentan claros síntomas de cansancio y de impaciencia. Todo el canal está invadido. Quevedo ordena un dispositivo de emergencia para repartir botellas de agua mineral y panes con jamón y queso. Se implementa también un proceso de control porque comienzan a detectarse casos de damnificados ficticios, de gente que se hace pasar por damnificada con el solo interés de poder participar en el concurso. La estrategia de presentar el proyecto aludiendo al premio ha sido, sin duda, muy eficaz. El procedimiento es muy simple. Se imprimen y se distribuyen en todos los refugios y campamentos unos pequeños papeles con una pregunta y un número telefónico:

¿QUIERES GANARTE UNA CASA PARTICIPANDO EN UN PROGRAMA DE TELEVISIÓN?

Telf. (212) 317-50-00

Apenas la gente comienza a llamar, apenas se entera de que la casa, además, está ubicada en una conocida zona residencial del este de la ciudad, que tiene dos pisos, jardín y una pequeña piscina, el entusiasmo hierve y se desborda.

De ese primer proceso de selección, un comité elige a doscientos veinticinco candidatos y candidatas. Hay, por supuesto, protestas, acusaciones de soborno, denuncias de todo tipo. Por más que el canal se empeña en mantener el proceso en un bajo perfil, con el mayor secreto posible, es muy difícil que la prensa no tenga acceso a todo lo que ocurre. En los territorios de la farándula el chisme suele ser una fuente confiable. Pero no hay ninguna duda: el proyecto Quevedo genera cada vez más expectativas, más polémica. Las autoridades, al menos por el momento, no se pronuncian. El canal, de todos modos, produce y transmite una campaña especial para sensibilizar a la población con los damnificados, usando mucho del material desechado, de las personas que no lograron entrar en la selección, como testimonios para motivar la solidaridad ciudadana de la audiencia. «Porque todos somos un solo país», pregona al final del spot la cálida voz del locutor.

Después de tres procesos más de depuración, finalmente el grupo de participantes queda definido. Son cuatro mujeres y tres hombres. Una de ellas es Vivian Quiroz, la joven y desconocida actriz del canal, a quien han hecho pasar por damnificada inventándole una historia y obligándola a fingir durante todo el tránsito de la elección. Cada uno de los participantes debe firmar un contrato que, entre otros detalles, los compromete a la confidencialidad y libera al canal de cualquier responsabilidad en cualquier circunstancia que se presente. En el mismo documento, también se aclara que se trata de un «proyecto televisivo, que se desarrolla bajo los parámetros del género conocido como *docudrama,* es decir, que incorpora tanto elementos del testimonio de los participantes como elementos ficcionales que dicho género exige». A lo interno del canal, en la alta gerencia, se discute si es necesario o no establecer además una cláusula penal que prohíba a los concursantes, de manera explícita, revelar los diferentes procedimientos que se vayan a utilizar en el programa. Quevedo desestima las distintas propuestas del departamento legal.

–Ustedes no entienden nada. Esto funciona con otra lógica.

Cada vez está más satisfecho, más seguro.

–Hay un riesgo legal, objetivo. Alguien podría salir y contar todo. Podrían, incluso, demandarnos.

–No lo harán. Nunca. No se van a arriesgar.

–¿Ni siquiera aquellos que pierdan?

–Nadie va a perder. En la televisión nadie pierde: todos serán famosos.

A mi madre le sorprendió el salto de la Biblioteca Nacional a la telenovela. No comprendía la causalidad interna de ese cambio. Pero sólo me lo dijo después, un poco antes de morir. No era parte de un secreto, no era tampoco una pregunta que se había guardado por algún motivo particular. Pasamos muchas horas juntos en la habitación del hospital. Pudimos hablar de todo, incluso de gente que no nos importaba demasiado, gente a la que no habíamos visto desde hacía años. «¿Qué pasó con los Lecuna, los que vivían en el piso de abajo, cuando estábamos en el apartamento de la avenida Victoria? ¿Alguna vez los volviste a ver?» Gente así. Gente que sólo da ya para un tema de paso, en una conversación. No teníamos nada más que hacer. Sólo podíamos conversar, ver televisión, recibir a las enfermeras y a los doctores... incluso cuando se puso grave, cuando todo empezó a ser trágico, sucio, muy doloroso, lo mejor que podíamos hacer era hablar. A veces, en las noches, seguíamos hablando, los dos acostados. Creo que repetíamos las conversaciones. Volvíamos a contarnos o a comentar las mismas cosas. Ella en su cama, atada a los instrumentales médicos; yo en un pequeño diván, dispuesto en una esquina de la recámara para que durmieran ahí los acompañantes. Los dos sabíamos que ella iba a morir. En momentos así, todo cambia. La idea del tiempo es otra. Cada detalle adquiere un significado distinto, un resplandor diferente. Todas las palabras pueden ser tus últimas palabras.

El primer síntoma preocupante apareció un sábado en la mañana. Mamá estaba con Eugenia en el mercado de Guaicaipuro. Conversaban frente un mesón largo, lleno de pescados. Mamá, de pronto, sufrió un mareo y tuvo que aferrarse al brazo de mi hermana. «¿Qué te pasa?», Eugenia, obviamente, se asustó. Mi madre tardó un rato en responder, le faltaba el aire. En la tarde, nos reunimos los tres. Jugamos un rato al doctor: Eugenia dictaminó que tenía laberintitis. Yo sentencié que probablemente le había bajado la tensión. Mi madre aseguró que no había pasado nada. Dos meses después le pusieron un marcapasos.

Una mañana, al despertarme, la vi sollozando en la cama. Serían como las seis, apenas se colaba un poco de luz a través de las rendijas de las persianas. Estábamos en el piso ocho del hospital central. La vista, a través de la ventana, era deplorable. Sólo alcanzábamos a ver edificios, pequeñas nubes de smog, tratando de flotar, un galpón enorme que, alguna vez, había sido una fábrica. A partir de las siete de la mañana, el ruido de las bocinas comenzaba a golpear los cristales.

Pero ya escribí que mamá estaba sollozando. Eso es lo importante. Me acerqué, preocupado, conmovido, y ella entonces sintió vergüenza, ladeó su rostro hacia la pared. «Prende el televisor», dijo. Yo no le hice caso, di la vuelta, me puse frente a ella, tomé su manó. «¿Qué pasó?» «Nada. No pasa nada.» «No es verdad: estás llorando.» Y meneó la cabeza, negándolo, pero sin poder evitar que otras lágrimas se asomaran en el borde de sus párpados. Entonces me agaché, hasta que nuestras caras quedaron frente a frente. Nos miramos un instante. «No me quiero morir», susurró. Yo no supe qué hacer. Sentí el impulso de acariciarle el cabello y decirle: «Tranquila. Tú no te vas a morir.» En realidad es una frase que no tiene ningún sentido. Ninguno de los dos sabíamos qué podía pasar. Sentí que todo era tan absurdo. ¿Qué se suponía que podía hacer yo en ese momento? ¿De qué manera podía acompañar a mi madre? ¿Cómo podía ayudarla?

Entró la enfermera de guardia con una bandeja minúscula, donde brillaban una jeringa y tres tubos de ensayo vacíos. «¡Buenos días!», exclamó sonriendo. «¿Cómo amaneció mi reina hoy?»

Yo sabía que ustedes iban a terminar llevándosela muy bien. Eso dice ahora Randy. Y además repite: te lo dije, te lo dije, te lo dije. Todo eso porque le he contado cómo va el trabajo con Manuel Izquierdo, que si nos reunimos aquí, que si hemos ido varias a veces a beber algo, que si hasta me invitó a trabajar en su apartamento una tarde. Y Randy se sigue sonriendo y sale nuevamente con todos sus te lo dije. Él también está bastante enganchado. Es lo primero que me pregunta cuando llego a la Escuela. ¿Y entonces? ¿Qué hay de nuevo? ¿Qué pasó hoy en el canal? ¿Cómo va la vaina? Dispara. Ya casi todo el mundo en la Escuela sabe que estoy trabajando en la televisión. Y, contrariamente a lo que yo pensaba, nadie me critica, casi todos están encantados, bromean, me preguntan qué tal, pero nada más. Sin rollos. A veces siento que hasta me tienen envidia. La misma Emiliana ha estado distinta. También es verdad que yo he cambiado. Desde que le dije lo que le dije, algo se desinfló dentro de mí. Eso fue hace ya más de un mes. Y poco a poco Emiliana se me ha ido desvaneciendo. La veo y me gusta, claro, pero ya no es igual. Algo se me apagó adentro. Ya no siento la misma magia. Randy dice que eso es un rollo de lenguaje, que eso siempre pasa cuando uno pronuncia lo que quiere. El deseo siempre es más grande en el silencio, algo así dice Randy. Y quizás tiene razón. Porque desde que le dije a Emiliana que me gustaba, me liberé, y ahora siento que me gusta menos. Es paradójico. Pareciera que decir elimina el gusto. Que nombrar acaba con los deseos. Los poetas estamos jodidos.

Pero ahora te mira más, ponte pilas. Randy me dio un golpe con el codo.

Yo le dije shhh, porque estábamos en clase y el profesor estaba leyendo un poema de Martín Adan, un poeta peruano que en realidad no se llama Martín Adan sino Rafael de la Fuente Benavides.

> Poesía no dice nada:
> Poesía se está, callada,
> Escuchando su propia voz.

Pero Randy insistió, continuó hablando con el codo y susurrando con la boca. Yo todavía sigo con la costumbre de sentarme dos pupitres detrás de Emiliana pero ahora es ella quien voltea, voltea más, a mirarme. Hay una extraña curiosidad en sus ojos.

Está jugando, me aseguró Randy, cuando salimos de clase. Quiere tenerte así, cerquita, pendiente de ella. Al final, nunca te va a dar nada, pero mientras tanto le encanta que tú estés postrado. Así son todas. Randy siempre habla como si tuviera un posgrado en mujeres. Ahora está medio empatado con Helen, una chama que estudia en la Escuela de Filosofía. Tiene el vello púbico pintado con los colores de la bandera nacional. Eso me contó Randy. Son los mismos colores pero todos desordenados. Eso dice. Ahora, cada vez que él me cuenta algo siempre pienso en el programa de la televisión. Por ejemplo: cuando me dijo lo de Helen y su sexo pintado, de inmediato pensé en alguna de las mujeres del programa. ¿Vale la pena que alguna de ellas tenga el pelo del sexo teñido de algún color? No me atreví a consultarlo con Izquierdo. La verdad, cuando trabajamos juntos, yo hablo poco. Estoy aprendiendo. Hemos estado reuniéndonos en una oficina en el canal. La oficina tiene un pizarrón donde Izquierdo anotó siete números, del uno al siete, como para identificar a cada personaje. Vamos a pensar, me dijo, y se sentó en una silla frente al pizarrón. Nos quedamos en silencio un buen rato. Yo me estaba poniendo nervioso. No se me ocurría nada, o todo lo que se me ocurría me parecía una tontería. Después de un rato, dijo Izquierdo: lo jodido de ser escritor es que, cuando uno está así, nadie cree que estamos trabajando. La gente cree que esto es muy fácil, que lo único que hace falta es sentarse y recordar la anécdota de una amiga que sufrió mucho, o la historia de una tía que descubrió al marido acostado con su hermana. Algo así me dijo. Y luego me contó que una de las desgracias principales de ser libretista es que todo el mundo, siempre, tiene una historia cercana que cree que puede y debe convertirse en una telenovela. Cuando alguien se entera que tú escribes telenovelas, me dijo Izquierdo, lo primero que te dice es tú tienes que conocer a mi prima equis, su vida es toda una telenovela. La gente cree que la ficción no se piensa. Cosas así decía, mientras seguíamos sentados ahí. Yo sentía que el pizarrón estaba cada vez más vacío, que los siete números se hacían cada vez más pequeños.

Le pregunté por Vivian. Fue lo único que me vino a la cabeza. Vivian Quiroz, la actriz. La muchacha de las fotografías.

Izquierdo asintió, sin dejar de mirar al pizarrón.

Yo ya la había conocido, me la presentó el señor Quevedo hace dos semanas. Estábamos caminando por un pasillo, veníamos de una reunión con el equipo de ambientadores del programa. Nos acababan de presentar una propuesta de lo que sería el diseño interior de la casa. Quevedo estaba entusiasmado. Ya habían comprado una casa en la parte alta de la urbanización Las Palmas y habíamos visto, en una maqueta, cómo quedaría decorado cada uno de los espacios de la residencia. El señor Quevedo dio la luz verde. Venía fascinado, hablando, cuando de pronto, frente a nosotros, apareció ella. Ella es Vivian.

El señor Quevedo la saludó de beso y abrazo. Yo me quedé paralizado. El señor Quevedo me presentó. Le dijo: éste es Pablito. Quise darle una patada. Pero luego arregló la vaina y le dijo que yo era uno de los escritores del programa, la mano derecha de Manuel Izquierdo, le dijo, sonriendo, como si ese juego de palabras fuera una ingeniosa picardía. Y entonces Vivian me miró y me sonrió. Me dijo hola, qué tal. Mucho gusto. Yo me hubiera podido quedar sentado sobre ese saludo, mucho rato, muchísimo rato. Pero el señor Quevedo dijo vamos, pues, tenemos que ir a no sé dónde. Así que nos despedimos y seguimos.

Cuando entramos al ascensor, el señor Quevedo me vio con una complicidad especial. Hace veinte años, yo no me la hubiera pelado, dijo. Esa misma tarde, le conté de ese encuentro a Randy. Le dije que Vivian Quiroz estaba buenísima. Que estaba mejor en persona que en fotografía. Que era un atraco. Que se caía de buena. Que.

¿Y si empezamos con Vivian?, le pregunté. Después de todo, es la única actriz del grupo.

Izquierdo se levantó, lentamente, moviendo la cabeza. Tomó un marcador y pintó un círculo alrededor del número siete. Por eso mismo, dijo, vamos a dejarla de última. Luego volvió a sentarse. Suspiró. Puso sus pies sobre la mesa. Llevaba unos mocasines de gamuza que lucían descoloridos, viejos. Vamos a pensar, Pablo. Éste es el momento de inventar. Ahora somos dioses, exclamó. Después vamos a estar jodidos. Como todos los dioses. Después vamos a estar condenados a cargar con nuestra creación.

Quevedo tiene una reunión de estatus con el Comité. Se queja un poco, lamenta que la industria siempre te ponga a prueba. No sirven de nada los años de experiencia, la hoja de vida, la lista de éxitos alcanzados. Todo puede destruirse o resucitar en un segundo. Todo es efímero. Ésa es la ley más duradera de la televisión. La única verdad es el vértigo.

–En menos de un mes, puedo estar en el aire. –Quevedo empieza atacando.

Quiere demostrar que lo que pretenden revisar y evaluar los otros gerentes ya es pasado. Él está más adelante. Él quiere comenzar a programar ya la promoción. Trae, incluso, una propuesta que quisiera compartir con los creativos publicitarios, un par de ideas para una primera campaña de intriga. Aunque el departamento legal y los responsables de la imagen corporativa del canal insisten en sus reparos, continúan con sus llamadas de alerta, Quevedo logra imponerse. Frente a cualquier objeción, solo presenta hechos.

La casa donde serán las grabaciones está casi lista. Es una vieja edificación, con una arquitectura de los años cincuenta. La ubicación es perfecta, en una zona residencial, con cierto abolengo, pero venida a menos. Es una vivienda de dos plantas, con cinco habitaciones y cuatro baños. Tiene, además, un comedor, dos salas, un despacho, y dependencias de servicio. En la parte de atrás, hay un patio y una pequeña alberca, de veinticinco metros cuadrados. En 1952, el general Justino Chacón contrató al arquitecto Andrés Iriarte y construyó la casa. Para su momento, fue todo un esplendor. Las escaleras que, siguiendo una forma de media luna, comunicaban la planta baja con el piso superior eran de mármol rosado, original de Carrara. Todo el techo había sido construido con madera de vera, traída especialmente del Amazonas. De la piscina se encargó un técnico alemán, quien viajó un par de veces de Hamburgo a Caracas. Eran los tiempos de la dictadura de Pérez Jiménez. Los militares, como durante casi siglo y medio de historia, eran la clase más privilegiada del país. El general murió en el exilio, en 1975 y sus herederos se dedicaron a arruinarse con suma eficacia. Desde hacía diez años, la casa estaba deshabitada. Al no poder mantenerla, la familia había decidido abandonarla. Aprovechando la crisis, el canal pagó la deuda que los Chacón tenían con el Banco Principal y, a cambio, se quedó con la residencia. Fue un regalo.

–En este momento –Quevedo hace rodar unas fotografías entre todos los presentes– estamos terminando la remodelación. La semana que viene instalamos los micrófonos y las cámaras.

No da tiempo a reacciones, sabe que ahora que los tiene contra las cuerdas, debe seguir golpeándolos. Presenta un informe de la administración del proyecto. Todo está calculado y dentro del presupuesto establecido. Mientras dure el programa, el canal se ha comprometido a hacerse cargo de la familia de cada participante, ubicándolas en departamentos amoblados y financiando todos los gastos de manutención. Aparte de la posibilidad de ganarse la casa, el premio mayor, cada uno de los participantes recibirá también una cantidad mensual mientras transcurra el programa. Quevedo mira al abogado Penzini, le sonríe al responsable de la imagen corporativa:

–El canal –dice, con una mueca de revancha– ha dejado muy claro que desea mantener con cada uno de los damnificados una relación laboral, de respeto profesional.

Quevedo continúa sin detenerse, enumera hasta los más mínimos detalles. Las pruebas de vestuario comenzaron este miércoles. El curso de actuación empieza el lunes que viene. Manuel Izquierdo ya ha construido, a partir de la vida real de cada uno de estos testimonios, perfiles dramáticos, relatos, historias que puedan convertir a estas personas en personajes. De eso se trata.

Para finalizar, reparte un juego de siete carpetas, cada una contiene el expediente de cada uno de los concursantes. Hay una ficha de datos personales, varias fotografías, un relato testimonial, un certificado médico, una evaluación psicológica, el contrato firmado donde cada quien se compromete y acepta todas las condiciones del programa.

–¿Ya tienes nombre? ¿Se les ha ocurrido alguno?

–Todavía no. Pero creo que hay que buscar algo que tenga que ver con la vida, con la vida real, ¿no les parece?

Ficha # 1
Nombre y apellido: Amarelys Josefina Escobar Núñez.
Lugar de nacimiento: Charallave, Estado Miranda.
Edad: 43 años.

Ocupación: peluquera.
Estado civil: soltera.
Número de hijos: dos

Yo ni me di cuenta. Estaba cerca de la hornilla, preparando un hervido. Pero oía la lluvia sobre el zinc. Era como si nos cayeran piedras. Como si desde el cielo nos estuvieran tirando piedras. Luego vino ese ruido fuerte. No sé cómo decirle. Yo nunca había escuchado un ruido así. Y de pronto todo comenzó a moverse, a crujir, a partirse. Como si la casa fuera de cartón seco. Yo sólo pegué un grito y agarré la olla y salí corriendo. No pensé en nada más.

(...)

Éramos seis hermanos, todos del mismo papá y de la misma mamá, porque antes las cosas no eran como ahora, antes había familias completas. Mi papá y mi mamá eran de Trujillo, de allá se vinieron y aquí nos tuvieron a los seis. Yo soy la tercera (...) Murieron dos. Al mayor le dio una enfermedad rara, cuando estaba muchacho. Lo llevamos a un hospital en Caracas pero ahí nadie supo qué tenía. Lo devolvieron para la casa con lo mismo. Y ahí se nos murió. Andaba prendido en fiebre y hablaba solo. Mamá sufrió mucho porque había una vecina que decía que eso parecían vainas del diablo. El otro fue Wilfredo, el que seguía después de mí. A ése nos los mataron. Le dieron un tiro en una fiesta. Y que fue una pelea. La policía detuvo al que lo mató. Pero dicen que no duró nada en la cárcel.

(...)

Mis hijos son todo para mí. La primera se llama Mayerlin. Tiene veintidós y está estudiando en Caracas. Estudia Mercadeo en un Instituto. Es muy buena muchacha. Ésa la tuve con un novio que yo tenía pero que cuando me vio preñada se fue corriendo. A mí no me importó. Yo no necesito hombre. El otro se llama Maiken. Como Michael Jackson pero con ene. Ése cumple dieciséis en agosto. Está estudiando bachillerato aquí mismo (...) Criar machos es muy difícil, muy peligroso. Ahora, por donde quiera hay droga, armas, gente mala (...) Yo he vivido para que mis hijos salgan con bien de aquí, puedan surgir, irse lejos. Eso es lo único que me importa.

(...)

Así me quedé yo, en la calle, bajo ese aguacero, mirando cómo la casa se venía abajo. En momentos así una como que no tiene cabeza, no hay tiempo para tener cabeza. Yo no recuerdo en qué pensaba. Tenía ganas de llorar y me preguntaba dónde estarían mis hijos. Todavía tenía la olla en la mano.

Pepe González Landó fue el primero que me habló de la importancia de la madre en el melodrama. Cuando lo conocí, él ya era una leyenda de la telenovela latinoamericana.

Había nacido en Argentina y había comenzado como mandadero en una emisora de radio. De ahí, en los años cincuenta, pasó a trabajar como asistente de producción en los inicios de la televisión. Era un mandadero con un poco más de responsabilidades. Luego fue continuista. Después, asistente de iluminación. Más adelante lo dejaron ayudar al camarógrafo. Poco a poco fue pasando por todos los oficios hasta que, quién sabe cómo, llegó a la escritura de libretos. Y comenzó a triunfar. Su formación literaria era nula. Tampoco sabía mucho de cine. No le interesaban demasiado las artes. Ni siquiera era un gran conversador, un narrador oral innato. Pero poseía una imaginación poderosa, desbordada y, lo más importante, le importaba un carajo la verosimilitud. Tenía una eficaz conciencia de las limitaciones de la producción televisiva.

Se comportaba como un genio delirante en medio de un paraíso bastante precario y deplorable. Cuando yo lo conocí, ya no escribía sino que actuaba las escenas. Las imaginaba. Sólo necesitaba un joven amanuense que se sentara con una máquina de escribir y fuera dándole forma sobre el papel a las acciones que él iba inventando, a los diálogos que iba soltando sobre el aire. Durante varios meses, yo fui ese joven.

A las ocho de la mañana, cada día, Pepe ya estaba ahí, inquieto, con la mirada extraviada, lleno de ideas. «Te esperaba, pibe», me decía. Y comenzábamos a escribir juntos. Yo conocía sus leyendas. Era el rey del falso suspenso. Conocía perfectamente el mecanismo interno del género. Sabía que una telenovela se construye, día a día, con un treinta por ciento de información nueva y con un setenta por ciento de reiteración. González Landó era un especialista en hacer que la repetición fuera una sorpresa fulminante. «Se abre la puerta», me dijo una tarde. Dio dos pasos, pensó, volvió a detenerse. «María está de espaldas, escribiendo una carta. Y de pronto, por la rendija de la puerta, vemos que se asoma una mano con una pistola, apuntándola.» Yo tecleé la escena a toda velocidad y él se detuvo, fatigado y satisfecho. «Final de capítulo, pibe», exclamó, lleno de entusiasmo. A la mañana siguiente, cuando volvimos a encontrarnos para enfrentar la jornada del día, me preguntó dónde habíamos dejado la historia en la sesión anterior. «María está de espaldas, se abre la puerta y aparece una pistola», le dije. Él asintió y pasó unos segundos en silencio. Luego, con pasmosa naturalidad, me dijo: «Escribí, pibe: la mano se arrepiente y se devuelve. La puerta se cierra.» Grandes acordes.

González Landó era una creatividad impúdica. El canal estaba lleno de viejas anécdotas, donde se resaltaba su ingenio, su capacidad para improvisar. La que más me admiraba era una del tiempo de la televisión en blanco y negro, cuando los programas se grababan el mismo día, o incluso debían salir al aire en directo, en vivo. El cuento partía de un conflicto laboral entre el sindicato de actores y la gerencia del canal. Quizás ni siquiera existía el sindicato, quizás sólo era un grupo de actores que trataba de presionar a la gerencia. Pero lo cierto es que, ya en el límite de la tensión, el canal decidió despedir a este grupo de actores, muchos de los cuales trabajaban en la telenovela que, con mucho éxito, se transmitía en el horario estelar, a las nueve de la noche. A las tres de la tarde de ese mismo día, la directiva del canal llamó a Pepe González Landó. Le explicaron la situación y le dijeron que, a partir de ese momento, no podía contar con ocho de los actores que formaban parte de su elenco, que eran personajes centrales en la trama de la historia que escribía. Pepe quedó en silencio unos segundos. Pensativo. Todos los gerentes lo miraban expectantes. «Perfecto», dicen que dijo Pepe. Sólo eso. Un «perfecto» suave y seco. Se levantó, dio media vuelta y se fue. Esa noche, a las nueve, en la emisión de la telenovela, los actores que no habían sido despedidos, el resto del elenco de la novela, apareció de pronto en un muelle de cartón piedra, diseñado apresuradamente en el estudio. El sonido proponía graznidos de gaviotas, rumor de mar, algún lejano mugido de la sirena de un barco. Todos los personajes estaban en actitud de despedida, mirando fuera de cámara, hacia un punto que no estaba en la pantalla. Algunos apretaban un pañuelo en la mano, al tiempo que comentaban la suerte de los personajes que la audiencia no podía ver en la escena. Todos, por distintas razones, habían tomado el mismo barco y partían ese mismo día, en el mismo viaje. «¡Miren! Ahí está fulanita», decía algún personaje, señalando hacia la nada. «Y también están ahí doña tal y el señor equis», exclamaba otro, también señalando hacia la nada, hacia fuera de la pantalla, donde ya no alcanzaba la vista de los televidentes. «¡Adiós, mi amor!», gritaba otra. «¡Avísame cuando llegues!» Y así fueron nombrando a cada uno de los personajes que interpretaban los actores despedidos. El momento cumbre de la escena se producía cuando, de pronto, los actores quedaban mudos y una ráfaga musical anunciaba una tragedia. Algunos se llevaron las manos a la boca. Otros se jalaron el pelo. No tenían mucho espacio para caminar ni para gesticular, pero aun así hicieron lo imposible para dramatizar lo que ocurría. «¡Se hunde el barco!», gritó una desesperada, marcando el inicio para un aullido coral, lleno de sorpresa e impotencia. En media tarde, sin gastar un centavo de más, Pepe González Landó acabó con medio elenco y mantuvo a la audiencia en vilo. De inmediato se convirtió en ejemplo de creatividad. Eso sí era un escritor.

¿Qué haría Pepe González Landó con siete damnificados encerrados en una casa?

La primera vez que fui al apartamento de Izquierdo, me quedé mudo. Jueves en la tarde y él me llama de pronto por teléfono: ¿tienes clases hoy, carajito?, me preguntó. Yo le dije que sí. ¿Es una clase importante? Yo le dije que no. Tenía clase de teoría literaria con la profesora Guevara. Me dijo vente a mi casa. El señor Quevedo por fin le había mandado los expedientes de todos los concursantes. Vamos a trabajar un rato aquí, me dijo.

Izquierdo vive en un edificio viejo, cerca de Chacao. Es un edificio pequeño, de tres pisos. Él vive en el último y tiene la casa bastante desordenada. Me sorprendió la cantidad de libros. Pero también tiene mil cosas regadas. De todo tipo: un guante de béisbol en un estante, al lado de una pecera vacía, un tambor en una esquina, una caja llena de latas de atún, en el suelo, al lado de una puerta de vidrio que da a un balcón mínimo. Tiene también una computadora más o menos vieja, instalada sobre la mesa del comedor. Cuando me recibió estaba en shores, con una camiseta sin mangas. Se veía que no se había bañado ni afeitado. Pasa, Pablito, dijo. Cuando me dice así no sé si se burla del señor Quevedo o de mí.

Tomamos café, descafeinado, me dijo que en las tardes él sólo tomaba café descafeinado. Luego me mostró las carpetas que le habían enviado del canal. Vamos a empezar con la cuarentona, me dijo. Leyó su nombre: Amarelys Josefina. Vimos las fotos. Era una mujer morena, con el pelo muy liso y muy negro. Tenía como un susto en la cara, pero podía ser un susto ante la cámara, ante el fotógrafo. Había un retrato de cuerpo entero, no lucía mal para ser una señora, se veía flaca, dura. Sólo aparecía sonriendo en una foto. Izquierdo pensaba que ella era todo un hallazgo, que era la mujer que necesitábamos: una madre que sufre, que está dispuesta a todo, a cualquier cosa, por sus hijos. Eso nunca falla, me dijo. Luego se puso frente a la computadora y comenzamos a inventar el personaje.

Izquierdo escribía y hablaba en voz alta, a veces me preguntaba algo, o lanzaba un comentario. Parecía que iba siguiendo un manual invisible. Una madre es un clásico, me dijo. En la telenovela las madres existen para sacrificarse, para hacer cualquier cosa por los hijos. Vamos a dejarle el mismo nombre. Amarelys no está mal. Suena a pueblo, ¿no? Seguía hablando solo, anotando. Pero, en vez de dos hijos, mejor que tenga tres. Y luego se rió solo. Yo no dije nada. Me miró y me dijo: sería ideal que le faltaran tres dientes, ¿verdad? Si fue un chiste, yo no lo entendí. Izquierdo me pidió que pensara en los hijos. Hay que meterle veneno a eso, dijo. Y puso varios ejemplos rápidamente. Por ejemplo: que uno de los hijos esté desaparecido. Por ejemplo: que a uno de los hijos, aprovechando toda la tragedia, se lo haya llevado el padre y no quiera devolvérselo a Amarelys. Por ejemplo: que uno de los hijos viva también en la casa. Por ejemplo: que ese hijo que viva en la casa, por culpa de las lluvias haya quedado ciego. Por ejemplo: que dos de los hijos de Amarelys sean gemelos. Que uno esté desaparecido. Que los dos estén desaparecidos. Por ejemplo: que los tres hijos sean de tres padres diferentes y que, a propósito del programa, de ver a Amarelys en televisión, los tres padres se acerquen a Amarelys queriendo reconciliarse. Por ejemplo: que. Era como si Izquierdo tuviera un sombrero invisible, como si fuera sacando historias de algún lugar, como si las tirara al aire. Me volvió a recordar que éramos dioses. Sólo ahora, en ese momento. Unos dioses muy provisionales, pensé. Di todo lo que se te pase por la cabeza, me dijo. Así hay que hacer. Luego lo discutiremos, iremos viendo qué es lo que dramáticamente nos conviene más, ¿entiendes? Cuando fue a la cocina a preparar más café yo volví a mirar la foto de la mujer. La imaginé con una olla en la mano, bajo la lluvia. La imaginé con dos gemelos, un hijo perdido, otro más, en la casa; con tres maridos siguiéndola, persiguiéndola. Todo me pareció una locura. Me puse de pie y fui a ver los estantes que estaban pegados a la pared. Había muchos libros, pero también Izquierdo tenía algunos objetos, extraños adornos. Miré un poco los libros pero, sobre todo, me llamó la atención un pequeño objeto que estaba aparte, en una repisa, al lado de unas revistas viejas. Era una placa de metal, pequeña, delgada. De sus lados, salían unos cables, casi parecían más bien alambres, que terminaban en unas puntas circulares. Parecía una pila especial. ¿Qué carajo podía ser eso? Seguí mirando. También tenía discos. Me pareció raro que no hubiera ni un retrato. Pensé de inmediato en Beatriz Centeno. No había ni una foto de ninguna mujer. Tampoco de ella. Fue entonces cuando sentí que Izquierdo estaba ahí, de vuelta, a mis espaldas, mirándome. Volteé y, cierto, ahí estaba, con una taza grande, observándome.

¿Qué estás haciendo?, su tono era otro. Como si estuviera molesto.

Me puse nervioso de una, así, sin más. Nada, dije. Pero lo dije como si me hubieran cachado haciendo algo malo. Como me siguió mirando, me puse más nervioso. La situación se puso incómoda. Y como no sabía qué hacer, agarré la pilita que había visto antes, se la mostré, traté de sonreír. ¿Y esto qué es?, le pregunté. ¿Para qué sirve?

Un marcapasos, dijo. El marcapasos de mi madre, también dijo.

Fue justo ahí, en ese momento. No supe qué decir. Me quedé sin palabras

11

Primero fue una sola vez, breve, leve, pero cuando empezó a repetirse, me preocupé. No es normal que un párpado titile. Puede que pase una vez, digamos, así, de pronto, se siente un temblor diminuto en esa delgada piel, sobre el globo ocular. Pero dos, tres, cuatro, hasta volverse una frecuencia, una suerte de tic, ya es otra cosa, ya convierte el accidente en un síntoma. Estaba escribiendo algunos rasgos de los personajes para el programa de Quevedo y me detuve en seco, inmediatamente. González Landó siempre recordaba que había dejado de escribir el día en que apareció una sombra en su ojo derecho. No era literal. En realidad, según explicaba, tenía una mínima sombra que giraba y giraba, siempre, en el campo de visión de su ojo derecho. Viera lo que viera, enfocara lo que enfocara, la sombra siempre estaba ahí. Como si estuviera estampada en la ventana de la mirada. Así solía evocarla el viejo libretista. «Es como tener una mosca dentro del ojo.» Y la imagen se me coló, se me grabó. Tal vez por eso, apenas sentí que el estremecimiento del párpado se reiteraba, me llené de inquietud. Primero pensé en ir al médico, llamar, pedir una cita urgente, invocar una emergencia, y situarme delante de un oftalmólogo. Lo imaginé con barba y cara de aburrimiento. Me miró con fastidio, apagó la luz de su consultorio, me pidió que encajara el rostro en esa suerte de andamio mecánico que usan los oculistas para auscultar las pupilas.

«Tengo una mosca en la mirada.» Imaginé que con esa frase pretendía explicarle lo que me pasaba.

La situación me pareció ridícula y me aproveché de eso para decidir no ir al médico. Los hombres le tenemos mucho miedo al dolor clínico. Nos aterra. Ante una jeringa, sentimos el mismo pánico que algunas mujeres ante las cucarachas. Es una reacción totalmente irracional, por supuesto. Por eso, después de los cincuenta años, la vida se nos vuelve un infierno. Después de los cincuenta, cada vez hay menos deporte y más consultorios médicos. Envejecer es experimentar debilidad y dolor: de eso nadie nos salva.

«Tienes que descansar la vista, eso es todo.» Me repetí la frase varias veces, con fervor, mientras comenzaba a buscar en qué ocuparme, cómo distraerme y no cansar la mirada. Es poco lo que sé hacer sin los ojos. No escribir, no leer, no mirar televisión, no fijar la vista en un punto... Traté de mantenerme por un buen rato acostado en el sofá, escuchando radio, con los ojos cerrados. Oí un noticiero. Transmitieron un reportaje desde un refugio de damnificados. Llevaban meses en unas carpas militares, en una guarnición. Se quejaban de las penurias que vivían. «No tenemos ni televisión», decía una señora, por cierto. También habló un joven que denunciaba que los damnificados más cercanos al gobierno eran los que habían tenido el privilegio de ser instalados en los diferentes hoteles de la ciudad. No es lo mismo un Marriott que una tienda de campaña militar. «Allá hasta les lavan la ropa», agregó. Traté de especular qué pensaría esa misma gente cuando vieran nuestro programa. ¿Cómo se sentirían? ¿Qué dirían? Hubo un momento, hace muchos años, en que intentamos escribir un tipo de telenovelas diferentes, con historias más modernas, más ligadas a la realidad social y política del país. Éramos cuatro o cinco autores jóvenes, de menos de cuarenta años, queríamos revolucionar la industria. En esos años, yo escribí *La ley del corazón*. Fue un primer esfuerzo por crear historias distintas, donde podían aparecer los problemas reales de la audiencia. Intentábamos incluir temas como las injusticias del sistema judicial, el hacinamiento carcelario, la corrupción de la clase política, en vez de repetir el típico cuento rosa de la empleada doméstica que se enamora del hijo de una familia millonaria. Nos fue bien, tuvimos éxito, pero el canal consideró que era pura novedad, que nuestra propuesta era circunstancial, que no vendía en el exterior, que limitaba la industria y que, por lo tanto, debíamos volver al abc clásico de la telenovela. «Aquí no vamos a inventar el agua tibia.» Con esa frase Gerardo Lima dio por concluido todo el proceso.

Gerardo Lima insistía, como ha insistido siempre y como nunca dejará de insistir, en que el género tiene una única definición. «Una telenovela es una telenovela», decía, como si estuviera citando a Aristóteles. Él tenía muy claro el famoso abc del negocio: la gente quiere evadirse. Ésa era su premisa. Y a partir de ahí había decretado que el éxito de toda telenovela dependía de su naturaleza «aspiracional». Siempre que podía, nos reiteraba, por no decir restregaba, su argumentación. El público tiene una vida de mierda, triste, aburrida, sin éxito y sin excesos de ningún tipo. La gente se sienta frente al televisor para olvidar su propia mediocridad. Quiere ver otra vida, mejor, deseable. Quiere que le mostremos su aspiración, su deseo. ¿No lo entienden? Toda telenovela tiene que ser el anhelo de una vida mejor, distinta.

Cuando presenté el proyecto de una telenovela que tocaba el tema de la diversidad sexual, Lima la cuestionó, diciéndome que iba a ser un fracaso brutal. «La gente quiere ver princesas, no lesbianas y putas», dijo. La gerencia, sin embargo, me dio el chance de escribir esa historia. Nos fue bien, pero no demasiado. Poco a poco, Gerardo Lima fue ganando terreno, hasta volver a dominar nuevamente todos los contenidos melodramáticos del canal. Mucha gente cree que la telenovela es un género que tiene mucho de libertad creativa, y sin embargo sus leyes internas suelen ser muy rígidas. El decálogo de Gerardo Lima era estricto hasta en los más mínimos detalles: la protagonista debía ser blanca, rubia y virgen. Siempre. Sólo podía enamorarse de un hombre. Sólo podía acostarse una única vez, con ese único hombre obviamente, con el fabuloso tino de quedar, además, instantáneamente embarazada. Otra ley irrefutable tenía que ver con los ámbitos, con los decorados y escenarios de la historia: todos debían ser elegantes, ricos, donde sea evidente el esplendor, la belleza, el lujo. «La gente quiere ver una telenovela, no un noticiero.» Los pobres, en el ideal creativo de Lima, jugaban un papel secundario. Si no eran una amenaza delictiva, les tocaba ser entonces sirvientes simpáticos y ciegamente fieles a sus amos: una cocinera chismosa, un chofer tartamudo, un jardinero negro que practica una brujería extraña únicamente cuando debe salvar a la «niña Isabel» o a la «señorita María Fernanda» de un peligro terrible.

Para Lima era impensable que una telenovela no terminara en una fastuosa boda, con traje blanco, con sacerdote, con algún *Ave María,* con un irremediable y prolongado beso final. Lima tenía un pensamiento inmóvil.

Creía en la antigüedad. Suponía que el matrimonio es un destino. Pensaba que, para cualquier mujer, ser feliz y estar casada es lo mismo. «Por eso mis telenovelas siempre tienen éxito.»

Después de cuatro horas, volví a sentarme frente a la máquina. He pasado todo este rato escribiendo, atento, esperando que de repente mi párpado izquierdo titile. Esperando que aparezca una mosca, girando dentro de mi pupila.

Nada. Todavía nada.

Ayer, en el taller de poesía, Emiliana leyó un poema sobre el vacío. Yo entré de último al salón y traté de evitar que nuestras miradas se cruzaran. Estaba avergonzado por lo que le había dicho cuando estaba avergonzado por lo que había hecho. Suena muy enrollado y ridículo, pero así mismo lo escribo porque así mismo me sentía. Era como si me hubiera metido en una espiral de pura estupidez. Randy me dijo: por favor, no sigas. No vayas a buscarla ahora para pedirle perdón por lo que le dijiste cuando fuiste a pedirle perdón por haberte emborrachado en aquella fiesta. Randy lo dijo así, a propósito, rapidito, sin pausa, sin detenerse. Se estaba burlando, pero tenía razón. Por eso entré de último y mirando al suelo. Sólo alcé los ojos un poquito cuando ella empezó a leer. Estaba nerviosa. Me pareció que sus dedos temblaban un poco. Pero leía despacio, con una especial cadencia interior. El poema estaba construido con versos breves, a mí me parecieron herméticos. Yo rara vez entiendo los poemas de Emiliana. Me encantaría que sus poemas me gustaran tanto como ella. Pero no es así. Randy después me dijo que era obvio que había terminado con su novio, que Emiliana había leído un poema de despecho. No me jodas, le dije yo. No te jodo, me dijo él. Randy se vino conmigo a la casa, supuestamente íbamos a estudiar juntos para un examen de morfosintaxis que iba a hacer la profesora Guevara. Por supuesto que nunca estudiamos. Siempre pasa lo mismo. Terminamos hablando de mujeres. De Emiliana, de Alexia, una muchacha que estudia Psicología con la que está saliendo Randy. Hablamos también de Vivian Quiroz. La he vuelto a ver tres veces. Siempre por casualidad, en algo del trabajo, cuando acompaño al señor Quevedo a supervisar el proyecto. Pero ella me reconoce, se acuerda de mí, me saluda. Al menos, eso siento yo. Izquierdo dice que lo peor que puede hacer un escritor es escribir mal, y que, después de eso, lo segundo peor que puede hacer un escritor es enamorarse de una actriz. Eso es casi tan horrible como escribir mal, también dice Izquierdo.

Volvimos a ver la imagen de Beatriz Centeno en la computadora. Sus ojos. Su zapato de tacón entre las manos esposadas.

Quevedo los cita en Los Helechos. Anda en ánimo de celebración, los invita a tomar un aperitivo, pide una botella de vino para acompañar la carne asada. Les cuenta sus triunfos frente al Comité, los avances, casi vertiginosos, usa esa palabra exacta, de la producción del programa. Ya la casa está casi lista. A última hora han tenido que lidiar con la asociación de vecinos de la urbanización. La familia de la casa contigua dio el aviso. Una tarde, desde una ventana del segundo piso, mientras observaban los arreglos de la piscina, vieron a un técnico de sonido, vestido con uniforme de trabajo del canal, tomándose un refresco en el patio. Comenzaron a averiguar y la noticia voló. Dos días después, los representantes de la asociación estaban reunidos con los representantes del departamento legal. Querían una compensación monetaria y el compromiso firmado de que el canal acordaba respetar los horarios nocturnos y aceptaba unas mínimas normas de convivencia ciudadana.

–Nada fuera de lo normal. Ya todo se arregló.

A la hora del postre, Quevedo les hace sentir que ellos son los rezagados. Ésa es la razón de la comida. Celebrar el buen paso del proyecto y presionar a quienes actúan con retraso. Izquierdo se justifica, recuerda que hay que pensar mucho, que no es sencillo.

–Estamos inventando un género, además. No es propiamente un *reality* y tampoco es propiamente una telenovela –dice.

El guionista ensaya una huida pedagógica: la única manera de mantener a siete personas, encerradas dentro de una casa, grabándolas veinticuatro horas al día, es creando conflictos, obstáculos; construyendo relaciones difíciles entre ellos, poniendo y malponiendo toda clase de ruidos y malestares, equívocos, pasiones enfrentadas, frustraciones, cualquier tipo de desavenencias, entre ellos. Quevedo escucha en silencio, como si puliera secretamente su paciencia. Izquierdo insiste. La lógica de la telenovela se basa en los equívocos. Todo se reduce a un personaje que ve a otro, o que escucha a otro, y va y lo cuenta, o lo repite, generalmente mal, distorsionado. Ése es el principio básico, El procedimiento narrativo fundamental del folletín televisivo.

–Ya lo decía Baudelaire –exclama de pronto, señalando a Pablo–. «El mundo sólo funciona gracias al malentendido.»

Pablo queda en silencio. No parece saber cómo recibir la cita. Como siempre, no logra precisar si Izquierdo plantea una complicidad o si se está mofando.

–Lo mismo pasa en la telenovela –continúa, con el mismo tono, el libretista–. Todo es un malentendido. Y para que exista el malentendido, tiene que existir el chisme. Conclusión: sin chisme, no hay telenovela.

Izquierdo afirma que el proyecto va a ser un gran monumento al chisme. La única manera de que pase algo interesante, en ese espacio, durante tanto tiempo y con tan pocos personajes, es produciendo una continua sobredosis de cotilleo. Ahí radica la importancia de delinear bien a los concursantes, de intervenir sus vidas, de envenenar sus historias personales con mucha ficción.

–En este programa no hay exteriores: estos carajos van a estar solos en esa casa, sin poder salir. ¿Qué quieres? ¿Qué les enseñemos a jugar ajedrez?

Luego se explaya sobre los cambios tecnológicos, sobre cómo ha afectado todo el desarrollo de las comunicaciones a la industria.

–Alguien debería hacer un estudio sobre la influencia de los teléfonos celulares en las telenovelas –afirma.

Izquierdo pide un digestivo y se dedica a evocar los tiempos y las formas narrativas que se perdieron desde que la velocidad de la telefonía móvil y de internet impuso su gobierno en el planeta. Hacer que un chisme sea verosímil es ahora más difícil. La información viaja demasiado rápido, se produce casi que de manera instantánea. La telenovela pretende todo lo contrario: retrasar las informaciones, postergar cualquier noticia, vivir en un juego de palabras. La telenovela es un género verbal. A pesar de los años, no ha podido desprenderse totalmente de su herencia, la huella de la radio sigue muy presente todavía en sus maneras de contar. Según Izquierdo, todo tiene que ver con las condiciones de producción, con las limitaciones que supone tener que relatar una historia en siete sets, con pocos personajes. Eso también define la naturaleza del producto:

–En la telenovela, las acciones no suceden: se cuentan. Es distinto. Lo que ocurre, suele ocurrir en otro lado, fuera de la pantalla. En la telenovela, por lo general, lo que más se mueve es el lenguaje.

–Muy bien –dice Quevedo cuando parece ya cansado de escuchar. Luce como si toda la cháchara de Izquierdo fuera una aburrida caseta que debe soportar para lograr llegar a donde desea.

Pide la cuenta con un gesto y luego los mira alternativamente a ambos

–¿Y entonces? ¿Para cuándo tendremos lo que falta?

A la hora del café, Izquierdo promete que esta misma semana entregarán el resto del material.

Desde hace días estaba el runrún por ahí. Que si a doña Carlita se le abrió un muro. Que si los Peralta tienen el piso cuarteado. Todo el mundo tenía un cuento. Y la lluvia seguía. Taca, taca, taca... un golpeteo, ¿me entiende? En todos los techos. A cualquier hora. A veces bajaba un poquito, pero eso es peor. Así decía mi vieja. La «mojapendejos», la llamaba. Porque uno cree que no llueve, que es poquito, que sólo es una garuíta y ya. Pero ¡qué va! Igual te empapa. Igual te tumba la casa.

(...)

Aquí mismo, aquí en este barrio. Nunca he vivido en otro lugar. No me recuerdo sino aquí. Trabajo también aquí, en el taller de Ramiro. Ahí reparamos carros, motos. Yo tomé un cursito hace tiempo. Lo demás lo he ido aprendiendo con la práctica, pues. Uno empieza cargando piezas y lavando vainas, pero se va aprendiendo (...) Una vez nos asaltaron, ahí mismo. Era una banda del barrio Independencia, de la loma. Son conocidos por acá. Los llaman los chocolates. Yo no sé por qué. Llegaron calzados, con sus hierros, querían llevarse unas motos. Que y que eran suyas. Como tenían un rollo con una gente de aquí, y las motos eran parte de ese peo. Nosotros quedamos en la mitad. A mí me soplaron un tiro. Aquí. Se me fueron los tiempos, rapidito. Lo único que recuerdo es el olor a sangre.

(...)

Yo estaba con mi novia, con Marlyn. Estábamos viendo la televisión. Mi mamá todavía no había llegado del trabajo. Fue cuando empezamos a sentir como un terremoto. Yo nunca he estado en un terremoto, pero me imagino que debe ser así. Era como una bulla que venía de la tierra. Y todo comenzó a moverse. Así. ¡No joda! Yo andaba sin camisa y Marlyn andaba en pantaletas. Pero así mismito salimos a la calle. Todo se venía abajo, se deslizaba. Había barro por todos lados. Como si el aire también se hubiera vuelto un pantano.

Ficha # 2
Nombre y apellido: Nickmer Salazar.
Lugar de nacimiento: Caracas.
Edad: 28 años.
Ocupación: mecánico.
Estado civil: soltero.
Número de hijos: uno.

Estuvimos trabajando dos días seguidos. Olvídate de las clases, me dijo Izquierdo. Tenemos que salir ya de esta vaina. Y era verdad, teníamos que salir ya de esa vaina. Nos encerramos en su apartamento y nos dimos duro. Pedimos pizza y estuvimos trabajando ahí, todo el tiempo. El plural es un formalismo. Yo estaba aprendiendo. Me parecía maravilloso todo lo que se le ocurría a Izquierdo, las cosas que decía, cómo se paraba de la silla, daba unos pasos, hablaba solo, volvía a sentarse. Si esto fuera una telenovela de verdad, me dijo, tendríamos que cambiarles los nombres a todos. ¿Cómo alguien puede llamarse Nickmer? Si esto fuera *by de book,* me dijo. (Paréntesis: siempre que alguien de la industria quiere hacer notar que sabe, que está refiriéndose al manual de la perfecta teleculebra, dice *by the book.* Ésa es otra cosa que he aprendido. La jerga del oficio.) Si esto fuera *by the book,* me dijo, nuestros personajes no podrían llamarse Nickmer ni Amarelys. Porque, *by the book,* los nombres de los personajes siempre tienen que tener algún sentido, un significado mayor. Eso es lo que ya entendí, lo que también he aprendido. Un protagonista, *by the book,* no puede llamarse Ramón o Juan. Un protagonista, *by the book,* debe tener un nombre que apunte a la grandeza, a cosas grandes. Alejandro, como Alejandro Magno. Maximiliano, como no sé quién, pero suena a max, a máximo, a más pero con equis. O nombres compuestos, que siempre dan la idea de algo importante, como los dos apellidos. Miguel Antonio, *by the book.* Y lo mismo pasa con las protagonistas. *By the book* es mucho mejor que se llamen Victoria que Miguelina. Victoria no sólo suena a Victoria, obvio; también suena a realeza, a imperio, a glamoroso.

Otra de las concursantes se llama Fabiola. *Yo todavía estudio,* leímos en su testimonio. Leímos también que nació en los llanos, en Valle de La Pascua. Que vivió allá hasta los nueve años. Su familia tenía una casa por ahí cerca, en un campo. Su papá trabajaba para una finca de ganado, su mamá se quedaba en la casa. Son cuatro hermanos. *Todos de la misma mamá,* dice. *Nos fuimos viniendo a Caracas goteaditos. Primero los más grandes, mi her-*

mano Simón y yo. Nos quedamos a vivir en casa de un primo de mi papá, que vivía en el barrio San Blas, en Petare. Yo recuerdo que lo que más me impresionó, cuando llegué, fue ver tantas escaleras. Para llegar a la casa había que subir y subir y subir, por todo esos cerros. Yo nunca había visto tanta escalera junta. De esa casa se fueron rapidito. Izquierdo, por lo que leyó entre líneas, sospechó que alguien de esa familia quería meterle mano a la niña Fabiola. Yo no leí eso. Pero tampoco se lo dije. De pronto pensé que quizás él ya tenía el cerebro deformado, que cualquier cosa que le contaban la convertía de manera instantánea en material para un melodrama. Se mudaron a casa de otra familia que era del mismo campo. Ahí sí se quedaron hasta que pudieron llegar todos y estar juntos. Su papá consiguió trabajo de albañil, su mamá trabajaba como bedel en un liceo que queda cerca. De los cuatro, sólo Fabiola logró llegar a la universidad. Estudia Ingeniería Química. Estaba en sexto semestre cuando llegaron las lluvias.

A mí me tocó subir a pie. Porque ya ni los jeeps querían ir para arriba. La calle era pura agua. Yo creo que en tres días no había parado de llover ni un segundo. Una se acostaba y se despertaba con el mismo sonido. Jackson, mi sobrinito, estaba asombrado. No podía creer que dentro del cielo pudiera haber tanta agua (...) Mi mamá me dijo que no saliera. Me lo rogó, más bien. Pero yo tenía que entregar un informe en la facultad. El profesor Carrillo había dicho que ése era el último día. Me dio miedo perder la materia. Con lluvia y todo. Por eso salí. La ciudad estaba oscura. Casi no había gente por la tarde. Bajé, agarré el metro, fui y vine. Cuando llegué a la casa, no había nadie. Todos se habían ido a la iglesia.

Fabiola no recuerda bien cuándo ni cómo, no dice nada en el testimonio, y eso que lo leímos como dos veces, pero de pronto la familia se fue volviendo evangélica. Dice así: volviendo. Primero fue la mamá. Empezó a ir a la iglesia porque tenía una vecina que ya se había contagiado y se había convertido. Así hablan ellos, eso dicen. Luego, poco a poco, fue arrimando a cada hijo. La idea final era meter al papá en la iglesia. Querían que dejara de beber. Porque aquello era dale y dale, todos los fines de semana. Desde el viernes hasta el domingo en la noche. Eso cuenta Fabiola. Ella dice que ella es la que menos va, la que tiene más distancia con Dios y con los hermanos. No le gusta la cantadera y tiene mucho que estudiar. Yo inmediatamente recordé a Chuleta, el primo de Randy, el expolicía que vive detrás de un cigarrillo apagado.

Fabiola no sabe qué va a decir su familia ahora con todo lo que ha pasado. Cuando vino el derrumbe, Dios estaba muy lejos.

Lo perdimos todo. La casa quedó en el suelo, vuelta nada. Se le vinieron encima dos casas que estaban más arriba. Se murió un niñito. Yo vi una bombona de gas rota, en mitad de unos escombros. Y seguía lloviendo. Yo me senté en la escalera y me puse a llorar.

Ficha # 3
Nombre y apellido: Fabiola Méndez Zambrano.
Lugar de nacimiento: Valle de La Pascua.
Edad: 25 años.
Ocupación: estudiante.
Estado civil: soltera.
Número de hijos: no tiene.

–Si esto fuera una telenovela, Nickmer se llamaría Ángel y Fabiola se llamaría Esperanza.

Izquierdo vierte el contenido de la jarra en un vaso. Es un líquido marrón, lleno de delgadas hierbas oscuras. Si lo hubiera colado, tal vez tendría un aspecto mejor, pero ahora, cuando el envase ya reposa, vertical, sobre la mesa, aparecen flotando unos pequeños trozos de musgo, o tal vez sean incluso pequeños hongos, también de color oscuro. Es un agua de onoto. Según cuentan, la raíz del onoto tiene grandes propiedades, sobre todo hepáticas. Algunos médicos naturales aseguran que es lo mejor para limpiar y reducir los niveles de grasa del hígado.

–Es la bebida de los arrepentidos –dice–. ¿Quieres probar?

Pablo niega con la cabeza. Luce impaciente. Está frente a la computadora con las manos extendidas, detenidas, flotando expectantes sobre el teclado. Parece un pistolero de una vieja película de vaqueros. Aguardando el momento justo.

Izquierdo sostiene que hay que inventar historias que tengan vuelo imaginativo pero que estén apegadas a lo que cada uno de los participantes realmente es, a sus vidas. Es lo más práctico, cree el libretista. Es una manera de garantizar que actúen lo menos posible.

–Tampoco estos tipos son Robert De Niro. No podemos pedirles demasiado. De vaina, hablan –acota.

Ésta es la idea de Izquierdo: Nickmer está casado y no tiene hijos. La noche de la lluvia, en medio de un derrumbe colosal, su esposa desaparece. Cuando Nickmer llega al programa ya lleva dos semanas de búsqueda inútil y las autoridades acaban de comunicarle lo peor: su esposa ha muerto.

–Quevedo tiene que meterle un curso intensivo de actuación a toda esta gente. Este Nickmer tiene que saber poner, al menos, una o dos caras de tristeza.

En la convivencia cotidiana, ya en la casa, en el programa, se va dando una química, cada vez más poderosa, entre Nickmer y Fabiola. Ella es una muchacha estudiante, muy seria, muy católica, que viene de una familia andina, estricta.

–Al principio, se conmueve, empieza a consolarlo, pero después, tú sabes, siempre las hormonas se alborotan.

El nudo del conflicto viene después. Cuando ya por fin Nickmer y Fabiola se han declarado su amor, cuando se han aceptado, han superados sus conflictos, sus prejuicios y sus culpas, entonces, de repente, en un acto milagroso, una mañana, aparece la esposa de Nickmer.

–Anota ahí, eso es para Quevedo. Necesitamos a otra damnificada. Y tiene que estar preñada.

–¿Preñada? –Pablo detiene los dedos, alza la vista, perplejo.

–¡Por supuesto! ¿Cómo nos vamos a perder esa oportunidad?

Al principio nadie lo sabe, nadie se da cuenta, sólo tiene dos meses de embarazo. De esta manera, dramáticamente, se puede desarrollar ese triángulo amoroso: Nickmer, en el fondo, no tiene la culpa. La creía muerta, oficialmente estaba muerta. Cuando se enamoró de Fabiola él era, de alguna manera, viudo. El regreso, la resurrección, de esta mujer cambia toda la situación. Fabiola se siente mal, comprende las circunstancias, puede sentir incluso cierta solidaridad con la esposa, pero también no desea renunciar, perder más bien, a Nickmer, el hombre que ahora considera el amor de su vida. Nickmer entra en crisis. Ama a Fabiola, pero también sigue amando a su esposa.

–De hecho, el embarazo puede ser de cualquiera de las dos. Porque Fabiola podría estar embarazada. Mejor lo mantenemos en suspenso, como una carta bajo la manga, hasta que llegue el momento. Ahí decidiremos a cuál de las dos mujeres nos conviene preñar.

Izquierdo se detiene, de pronto, como si una súbita idea lo hubiera cazado. Sonríe de manera particular y añade:

–Quizás hasta nos conviene preñar a las dos.

No es la primera vez que me despierto pensando en ella.

Pero es la primera vez que lo escribo, que lo reconozco.

Volví a abrir los ojos muy temprano: tres y cuarenta y uno, dictaban las luces verdes del reloj. Beatriz estaba ahí. Nuevamente. Moví la lengua dentro de la boca. Me faltaba saliva. Esperé unos segundos. Me levanté de la cama y vine directamente a la computadora. Sin pasar por el baño, sin hacer café, vine directamente a escribirla. Si no es así, quizás no la pronuncio. Beatriz.

Me cuesta. No es fácil. Prefiero distraerme, como he hecho hasta ahora, día a día. Trato de recordar lo que no importa para poder huir de lo que no puedo olvidar. Quizás todo esto sea sólo eso. Quizás, en el fondo, sólo vivimos para destruir nuestra memoria.

Vamos borrando nuestros rastros, luchando con aquel que siempre persiste: ese detalle, una cara, alguna palabra, un olor... que se empeña en repetirse, en no desvanecerse jamás. Esa insistencia es, al final, lo único que nos va quedando, lo único que somos.

Cuatro y ocho minutos de la madrugada. Beatriz Centeno, nuevamente, me ve aspirar una raya de cocaína. Sonríe. Le ofrezco pero ella no quiere. No se ha metido nada hoy. La música está alta. «Tengo que decirte algo importante», me grita. Nuevamente. Yo asiento. Está sonando un viejo disco de Rafaela Carrà. Julián Fernández está en calzoncillos y baila solo en medio de la sala. Está desatada. «¡Vámonos ya!», Beatriz me toma la mano y me grita al oído. Sus ojos son una súplica. Yo digo que sí, moviendo la cabeza, pero sigo mirando a Julián, su danza inútil, deplorable, tan triste.

Hasta que de pronto todo se deshace. Se abre la noche y entra la policía.

12

El domingo, a media mañana, estaba tirado en mi cuarto, lagarteando. Tenía el televisor prendido pero no lo estaba viendo, sólo lo oía. Estaba mirando hacia el techo, pensando en Vivian Quiroz. Vivian no me dejaba en paz. Al darse cuenta de que Emiliana iba desapareciendo de mis sueños, ella entonces comenzó a colarse, a meterse conmigo, aprovechando que yo estaba dormido. Así, sin más. Sin aviso, sin que nadie la llamara. Al principio era raro, confuso. Todo fue parte de un proceso, de un poco a poquito. Yo estaba soñando con Emiliana y de repente se asomaba una sombra. Muy despacio, esa sombra se convirtió en Vivian y, otro poco a poco, después, Vivian empezó a quedarse más tiempo, a ser más clara. Su silueta tenía más forma, se veía mejor, mientras Emiliana iba más bien difuminándose. Así se inició el tránsito hasta que Vivan como que fue empujando a Emiliana, moviéndola, sacándola, mudándola para otro sueño.

Entonces mi mamá tocó la puerta. Fueron dos o tres toc-toc, secos. Como si martillara la madera con sus nudillos. Hubiera podido hacerme el dormido pero ni siquiera tuve tiempo. De una, mi mamá comenzó a abrir mientras me preguntaba ¿estás listo? ¿Listo? ¿Yo? ¿Para qué? ¿Lo olvidaste? Me miró con cara de no me escuchas nunca, con cara de te lo dije quince veces, con cara de mamá en plan de joder un domingo.

Quedamos en que hoy íbamos a visitar a tu papá, dijo.

Ayer, en un baño público, me puse a pensar en la intimidad y en las mujeres.

A las seis de la tarde estaba agotado, por fin había terminado todos los perfiles de los concursantes para el programa de Quevedo. El timbre del teléfono me sonó igual que un antiguo timbre para el recreo, en la primaria. Era Hernán. Tenía entradas para el juego de béisbol, esa misma noche, en el estadio universitario. Los boletos eran buenos, los equipos eran malos; pero igual le dije que sí, quería despejarme, hacía años que no iba a ver un juego en el estadio.

El béisbol no se puede contar en pocas palabras. Es un deporte cerebral, tiene demasiadas reglas y demasiadas excepciones a esas reglas. Parece un idioma. Es necesario haberlo jugado para poder disfrutarlo. A la altura del cuarto *inning,* ya Hernán y yo nos habíamos puesto al día. Él seguía trabajando en una oficina pública. Seguía casado con Astrid. Seguía aburrido, frustrado, cansado de sí mismo. Yo le hablé del canal, del proyecto en el que estaba, sin dar demasiados detalles. Él tampoco pareció prestarle importancia. «¿Te pagan?», preguntó. Yo asentí con la cabeza. «Entonces, no tienes problemas», concluyó. Luego, me preguntó si estaba saliendo con alguien. Jorge Luis Borges decía que la amistad no necesita frecuencia. Hernán y yo cumplimos cabalmente con esa premisa. En los años de la universidad fuimos muy cercanos. Esa edad suele ser, muchas veces, la definición de amistades duraderas. Aunque el tiempo pase y uno ya no se vea, siempre, al encontrarse, se produce una suerte de magia, de conexión inmediata que abre la puerta de la confianza. Podemos pasar meses sin vernos y, en dos segundos, alrededor de un café, confesarnos de inmediato los peores crímenes personales. «¿Y?», preguntó. «¿En verdad no estás saliendo con nadie?» Para Hernán, la soledad no puede ser una elección sino el síntoma de una enfermedad.

Que a mi viejo le digan el loco Manzanares no es juego. Está loco de verdad. Un día se le fundió la cabeza y ya. A mi mamá no le gusta hablar de eso. Una vez, en medio de una pelea conmigo, se le salió, de pronto, soltó un grito, me dijo que viera el ejemplo de mi papá, que ahí estaba, vuelto mierda, por culpa de las drogas y del alcohol. Pero ahí mismito le dio vaina y trató de recoger sus palabras, de volverlas a meter rápido en su boca. Luego se puso a matizar, a decir que esto, que lo otro. Pero ya era tarde. Cuando las palabras ya están dichas, siempre es tarde.

A mí no me importó demasiado que me dijera eso. Yo no siento mucho cariño por mi papá. Creo que tampoco lo respeto mucho. No tengo buenos recuerdos de él. Al contrario. Lo último que recuerdo, antes de que le diera la primera tocoquera, es horrible. Mi papá siempre inventaba un plan para el sábado, pero después llegaba el sábado y nunca había plan. O tenía que ir al canal, o se había trasnochado y se despertaba a las dos de la tarde, o tenía que. Recuerdo unos carnavales, él me prometió que el sábado me iba a llevar a jugar al Parque del Este. Yo tenía siete años. Casi todos los niños de mi escuela iban a ir al parque, disfrazados. En eso habíamos quedado. Yo me paré tempranito y fui corriendo a buscar mi disfraz del zorro. Me lo puse, sin ayuda de nadie. Me puse hasta el antifaz y la capa. Agarré mi espada de plástico y me fui a esperar a mi papá. El cuarto estaba cerrado. No me atreví a tocar. Me senté junto a la puerta. No sé cuánto tiempo pasó. Para mí fue todo, como quinientas horas. Estaba tan pendiente que no quería separarme de la puerta. Tenía miedo de que mi papá saliera rápido y se fuera y me dejara. Ya era tarde cuando mi mamá por fin salió. Lucía mal, muy cansada. Y cuando me vio, se puso a llorar de inmediato. Mi papá no estaba en el cuarto. No había ido a dormir a la casa. No sé si me hice pipí antes o en ese mismo momento. Pero terminé meado. Desde ese día, odio al zorro, odio los disfraces. Y creo que también odio un poquito a mi papá.

Yo tenía diez años cuando se lo llevaron al hospital. Ya no podíamos tenerlo en la casa. Llevábamos tres años intentándolo y ya no podíamos. La locura es tan contagiosa como la gripe. Mi mamá y yo nos estábamos volviendo locos. Mi papá pasaba todo el día en piyama, hablando solo, yendo de un lado a otro, diciendo incoherencias, haciendo disparates. Una noche metió a mi pequeña tortuga en la licuadora. Otro día lanzó por el balcón toda la carne que mi mamá tenía congelada en el refrigerador. Una tarde nos llamaron del piso ocho. Papá estaba desnudo en el pasillo, junto a la puerta del ascensor, llorando. En ocasiones agarraba el teléfono y marcaba cualquier número y se ponía a hablar, sin parar, durante horas. Cuando llegaba el recibo, mi madre descubría que había hecho llamadas al Japón, a Escocia, a Guatemala. Cada vez estábamos más cercados por él, por lo que hacía o decía. Tuvimos que esconder los teléfonos, cambiar la cerradura de la casa, ponerle una cadena y un candado a la puerta de la nevera... cada día teníamos más miedo. Al final, ya ni siquiera compartían el cuarto. Era imposible. Cada noche, mi mamá se escurría y se venía a dormir conmigo. Yo me acurrucaba junto a ella. Creo que en el fondo yo quería huir, que nos fuéramos, que lo dejáramos. Pero mi mamá nunca se atrevió. Jamás se divorció de mi papá. Ni siquiera ahora. Todavía están casados.

Hernán fue de los pocos invitados a mi boda. Por mi lado, a la fiesta sólo fueron mi madre, mi hermana Eugenia, Hernán y otro amigo, Luis Camejo, que militaba en la ultraizquierda, se graduó de antropólogo, y terminó viviendo en Seattle, casado con una gringa y dedicado a la venta de pólizas de seguros médicos. El resto de los invitados, diez personas más, los puso Patricia. El acto civil fue en la prefectura de La Candelaria y la fiesta se realizó en un pequeño salón de fiestas del edificio donde vivían los padres de Patricia. Fue una celebración incómoda. Mis nuevos suegros eran mis nuevos suegros por pura obligación. Estaban en contra del matrimonio pero, sobre todo, estaban en contra de mí. Patricia y yo nos conocimos gracias a los amigos comunes. Ella había estudiado Educación en la universidad, trabajaba en una subsecretaría del Ministerio. Era muy bella, tenía un carácter dulce, una personalidad llena de sensatez y de orden. Patricia podría haber sido la esposa y la madre ideal para cualquiera. Además, quería y esperaba eso de su propia vida. No tenía más preguntas ni más anhelos. La idea, y la ilusión, de formar su propia familia ya era, para ella, suficiente. Con eso podía llenar su existencia.

Al año y medio, nos divorciamos.

Realmente, yo no estaba preparado para un proyecto familiar, no quería tener un «hogar», no deseaba acumular muebles y adornos, no soñaba con tener hijos... en mi idea del futuro, siempre aparecía solo, sin Patricia. Comencé a engañarla y terminé sometiéndola al clásico método masculino para terminar las relaciones. En ese momento, lo hice de manera inconsciente; después, con los años, he ido descubriendo y entendiendo la lógica que nos guía cuando nos toca romper con las mujeres. El procedimiento consiste en dinamitar la vida cotidiana, llenar de petardos a la esposa o concubina, cercarla, hacerle imposible la existencia, pero manteniendo siempre, y aquí está el elemento importante, la más sorprendente naturalidad, una suerte de presencia y de ánimo de normalidad tal que, más temprano que tarde, desquicia a cualquiera. El resultado casi siempre es el mismo: la mujer, deshecha y harta, manda al hombre al carajo, lo corre de la casa, le exige acabar ya con ese amor. El hombre logra su objetivo: que lo boten de la casa sin motivos aparentes. Probablemente, ésa sea una de las grandes fantasías masculinas: salir del matrimonio sin culpas.

Al principio, el canal nos ayudó mucho. Le mantuvo el sueldo y le pagó un tratamiento psicológico. Pero cuando supieron que el diagnóstico era fatal, que la vaina iba para largo y sin retroceso, llegaron a un acuerdo con mi mamá. Nos mantuvieron en el seguro social, condonaron una deuda que tenía mi papá con ellos, pero eso fue todo. De ahí en adelante, el loco Manzanares era todo nuestro.

Lleva once años viviendo en el hospital psiquiátrico de Altagracia. Yo lo he ido viendo envejecer en el mismo paisaje, un domingo una vez al mes. En todos estos años, creo que lo único que ha cambiado es su piyama. Suele estar dopado, así que las visitas también tienen cierto aire de siesta, de bostezo. A veces pasamos dos horas juntos y él no dice nada. Tiene la mirada extraviada y una sonrisa de niño en la cara. Pero hay domingos en que está como más despierto. Siento que me reconoce, que en el fondo de sus ojos hay un brillo, una rara ternura que de pronto despierta. Como si, en medio de todo el desorden de su cabeza, de repente tuviera un rapto y supiera quién soy yo.

Mamá fue a hablar con la jefa de enfermeras. Dijo que papá estaba muy descuidado. Era cierto, pero tampoco tanto. Tenía el pelo largo y despeinado, la barba sin recortar. Me di cuenta de que estaba muy canoso. Antes no me había fijado en eso. Parecía un poco más eléctrico que de costumbre. Nos habíamos ido a sentar a un banco que quedaba al fondo del patio. Solíamos hacer eso. Yo, como siempre, comencé a hablar. Era lo habitual. Un ejercicio que hacía casi mecánicamente. Hablaba solo, para mí, sin importar demasiado que él estuviera ahí. Jamás me había contestado. Al principio, cuando tenía doce o trece, yo creía que, al menos, me oía. Estaba en plena adolescencia, tenía muchos problemas con mi vieja, y entonces iba allá, me sentaba con él en ese patio, le contaba mis cosas, me quejaba de mamá. Nunca me dijo nada.

Pero este domingo fue distinto. Cuando mencioné la palabra canal, de repente giró la cabeza y me miró. Nunca antes, nada de lo que yo había dicho, había logrado captar su interés. Yo me di cuenta, me pareció raro. Y seguí. Comencé a contarle todo. Le dije que estaba trabajando en el canal. Estoy en un programa que es una locura, le dije, un *reality* que no es un *reality,* no sé si tú sabes de esa vaina. También le dije que estaba trabajando con el señor Quevedo. Mi viejo seguía cada una de mis palabras, cada vez más interesado. Siempre en su estilo. Lento, pues. Como si su cerebro funcionara a media máquina. Me miraba a los labios, como si quisiera mirar bien cada palabra que yo decía. ¿Me estás siguiendo? Y él no me dijo nada. Nada de nada. Pero seguía mirándome. Hasta me puso la mano sobre el brazo.

Eso fue cuando le dije Manuel Izquierdo.

Entonces sentí su mando, de pronto, sobre mi brazo.

¿Manuel Izquierdo? ¿Te suena?

Me apretó un poco la muñeca. Me sorprendió que sus dedos fueran tan suaves. Eso sentí. Que tenía los dedos de tela.

¿Lo conoces? ¿Lo recuerdas? ¿Manuel Izquierdo, papá?

Él siguió con su mano ahí, apretándome, levemente. Y me miró de otra forma, no sé cómo describirla, pero sentí que me oía. Estaba boquiabierto, sonriendo, sonriendo más, con la boca más estirada que de costumbre. Y de pronto dijo ja. Sólo eso. Un ja raro, que parecía bastante un je. Era uno de esos sonidos que parecen un camaleón, que van cambiando. Ja o je, eso dijo. Nada más. Yo pensé que su memoria era un saco lleno de sombras.

Un diecisiete de diciembre de hace muchos años, Patricia me tenía la maleta hecha. La dejó en la puerta del apartamento. La recuerdo con los ojos enrojecidos y un rencor intenso, de pie, al fondo de sus pupilas. No me jacto de esta historia. Patricia no se la merecía, pero, en honor a la verdad, tampoco yo sabía muy bien lo que hacía. Mis fracasos amorosos, en general, han sido pura consecuencia del instinto. Las mujeres creen que el amor es capaz de someter y transformar a cualquier naturaleza. Ése es su error. Los hombres somos más básicos, más elementales. No tenemos intimidad.

Le dije a Hernán que seguía solo. «Ya llevas bastante tiempo así, ¿no?», comentó. No tuve más remedio: volví a recordar a Beatriz. Y pensé que él, secretamente, también la estaba recordando. Sabía lo mismo que yo. Después de

Beatriz no he tenido ninguna relación más o menos estable. Casi siento que con ella clausuré mi experiencia afectiva.

Todavía estaba rumiando la frase de Hernán cuando entré al baño. El juego estaba en el séptimo *inning,* los sanitarios públicos del estadio estaban atestados. De pronto, me sentí muy incómodo. Vi la pared con la inmensa fila de urinarios verticales, la ristra de hombres, en su mayoría jóvenes, meando o esperando su turno para hacerlo; todos hablaban en voz alta, comentaban el juego, se hacían distintas bromas. Me sentí de pronto abochornado. La escena me pareció impúdica, promiscua. No quería abrirme el pantalón y sacarme el sexo delante de tanta gente, o con tanta gente alrededor, con tanta bulla, con tanto olor a orines y a cerveza, con tanto apuro. De pronto me dio frío. No soporté que el baño público fuera algo tan concurrido y tan de roce social como un vagón del metro. Cuando llegó mi turno, intenté orinar pero no me salía nada. Ni una gota. Todo lo que sucedía alrededor me impedía concentrarme, me irritaba. Me vi a mí mismo fingiendo, actuando como hombre que mea y se sacude, casi silbando, guardando el instrumento, yendo a dejar correr un poco de agua sobre las manos, saliendo del lugar con una sonrisa y, también, con la vejiga todavía llena.

La edad nos amanera, nos vuelve femeninos. «Ya cumplí cincuenta años», le dije a Hernán cuando volví a sentarme en la silla, a su lado. Él me miró con media sonrisa, sorbió un trago de cerveza: «Tú sigues jodido por lo de Beatriz. Así, no lo vas a superar nunca.»

El departamento legal sostiene que es un delito. Manuel Izquierdo dice que sólo es una ficción. El departamento legal insiste: es un engaño a la audiencia. Izquierdo no cede: el programa necesita una villana. Quevedo está desesperado. De pronto, todo ha vuelto a detenerse. Ya tiene a todos los participantes tomando clases. Van todas las mañanas a un curso especial, en un lugar alejado del canal, un apartamento que han rentado especialmente para preproducir el programa. De nueve a una, trabajan con el profesor Aranguren. Tienen que aprender lo mínimo pero no tanto, lo suficiente pero tampoco demasiado.

–Que sepan algo de dicción pero no que hablen como actores de teatro –pide Quevedo–. Tienen que mantener cierta cosa popular. Tienen que seguir confundiendo las erres con las eles. No tienen que perder su mierdita original, ¿entiendes?

Aranguren dice que sí, que entiende. Pero el problema se presenta a la hora de construir el personaje.

–Sobre todo con la villana.

Ficha # 4
Nombre y apellido: Yubirí García Requena.
Lugar de nacimiento: Puerto La Cruz.
Edad: 27 años.
Ocupación: comercio.
Estado civil: soltera.
Número de hijos: no tiene.

Cuando se derrumbó la casa, yo estaba comprando mercancía. Era un sábado. Fue en la tarde, que llegué al barrio, y vi ese desastre. Se vino el cerro abajo. No quedaba nada. Nos habían dicho que eso podía pasar. La semana anterior, había venido una gente de la Cruz Roja o algo así. Dijeron que estábamos en alto riesgo. Pero nadie quiso irse. Si uno se va, vienen los malandros y te desvalijan la casa, te dejan sin nada.

Éstos son los argumentos de Izquierdo: el éxito de una telenovela depende, en gran parte, del mal, de la maldad. Sin un villano, no hay cuento. Una telenovela es, en el fondo, un relato que puede contarse en una línea y que siempre termina igual. Cuando llega la felicidad, se acaba cualquier historia. A nadie le interesa el amor. La audiencia, en el fondo, sólo quiere ver las dificultades del amor. Todo el mundo sabe, aun antes de que comience, cómo finalizará la obra. Todo el mundo sabe quiénes quedarán juntos y serán felices. Lo único que quieren ver es lo que está en el medio: cómo les cuesta llegar a ese final. La gente enciende la pantalla y sintoniza una telenovela para ver obstáculos, impedimentos, maldades. Justamente: maldades. Por eso los villanos son tan importantes. Para eso existen. Por eso es necesario tener una villana dentro de esa casa.

Yo tengo un puesto en el boulevard. Es una esquina, pues. Es mi esquina. Desde hace como tres años, ahí vendo cables, adaptadores, chapitas, celulares de los baratos, protectores de plástico, cargadores fijos, cargadores para carro... No se saca mucho, pero se saca. Antes también tenía teléfonos. Jalaba la línea de una tanquilla que está cerca y la conectaba. Le cobraba a la gente una platica por la llamada y ya.

(...)

Mi hermana Aminta trabaja en la alcaldía. Es la secretaria de una supervisora o algo así. No gana mucho pero está enchufada. Ella estudia en la noche. Ella es la inteligente de la casa, la que tiene más pilas. Algún día va a ser abogada.

(...)

¿Yo? No. Yo saqué mi primaria y ya. Yo trabajaba en Puerto La Cruz, pero Aminta quería estudiar y mi mamá no la iba a dejar venirse sola para Caracas. Por eso yo me vine con ella.

–El maestro González Landó siempre decía que una telenovela es sólo una buena noticia que, al final de la historia, recibe una muchacha: ¡se casará!

Izquierdo habla con tranquilidad frente al Comité. No repara en los rostros adustos de los vicepresidentes, en la mirada llena de una urgente angustia con que Quevedo sigue cada una de sus palabras:

–Pero para que esa buena noticia exista –el libretista alza la mano, para enfatizar todavía más la frase–, ¡es necesario que antes existan doscientas malas noticias! ¡De eso se trata! ¡A eso nos dedicamos los escritores!

Izquierdo saca la carpeta, el expediente, muestra las fotos de Yubirí García. Dice que es perfecta. Señala un retrato donde la participante mira a cámara con desconfianza.

–Aquí, incluso, se le ve cara de bichita, de perversa. Yo creo que ella puede dar muy bien el personaje.

Yo no tengo suerte con los hombres. Tuve uno pero me salió malo. Los fines de semana era puro beber aguardiente. Y cuando me descuidé, me estaba montando los cachos. Yo mismita lo vi. Con otra tipa de allá, del barrio. Los hombres son pura paja. Los que me han tocado a mí, por lo menos. A Aminta le ha ido mejor. Ella consiguió un novio en la universidad. Estudian juntos, de noche. Ahora que se gradúen se van a casar.

Izquierdo propone que Yubirí sea la hija natural de una mujer de la alta sociedad. En el pasado remoto, hace casi treinta años, una muchacha de una familia adinerada tuvo una aventura con quien no debía, con un empleado, con alguien de la servidumbre, con el hijo del jardinero, por ejemplo. De ese encuentro fugaz, la joven sale embarazada. La familia es suficientemente conservadora para entender que ese hijo no puede nacer, pero suficientemente católica para no practicar un aborto. Deciden recluir a la joven, esconder su embarazo y, al momento de dar a luz, donar al bebé, desaparecer a la criatura.

–Esta mujer, esta buhonera, esta vendedora ambulante, que sólo estudió hasta sexto grado, es en realidad un pecado de juventud de la glamorosa Carolina Iturriaga de Palencia.

Le dieron la niña a un abogado, cercano a la familia, quien a su vez se la dio a la prima de una empleada doméstica, una sencilla mujer del oriente del país, que jamás había podido tener hijos. La vida de Yubirí transcurre de manera natural, llena de penurias y dificultades, hasta el momento crucial en que su madre, o la mujer que ella cree que es su madre, agonizante, le cuenta toda la verdad. Esta revelación produce una hecatombe interna en la frágil estructura psíquica y emocional de Yubirí, quien se obsesiona con el tema y comienza, por todos los medios, a investigar, a buscar frenéticamente su origen. Después de varias pesquisas, Yubirí conoce quién es en realidad su verdadera madre. Una señora encopetada, de la alcurnia citadina, casada con otro miembro ilustre de la rancia godarria, muy religiosos y muy decentes los dos. Yubirí viaja a Caracas y observa de cerca todo lo que se ha perdido, todo lo que le pertenece, toda la vida que nunca pudo tener, que siempre le negaron.

–¿No es fantástico? ¿No les suena bien?

Yo no sé si mi hermana Aminta estaba adentro o no. Yo creo que sí. Supongo, pues. Aunque es mejor no suponer nada, ¿verdad? Yo tengo esperanzas. Porque, como dicen, la esperanza es lo último que se pierde. Aunque todavía no ha aparecido. Ni ella ni su cuerpo.

Aún estoy temblando. Pero temblando por dentro. Es distinto. Y no sé cómo describirlo. Y es que todavía no me lo puedo creer. Llegué a mi casa, me encerré en el cuarto, me quité la ropa, me miré al espejo, así, completamente desnudo, y empecé a reírme. Di vueltas, dije yeh y dije coño varias veces y con signos de admiración, moviendo los brazos. Luego miré mi verga y me puse a hablar con ella, así frente al espejo. ¿Y entonces?, le dije. Te sorprendí, ¿verdad? Tú no te imaginabas que yo podía darte algo así, ¿ah? Eso le dije. Siempre muerto de risa. Me gustó sentirme así. Desnudo, sentado sobre la cama. Y con ese parpadeo interno. Como un pequeño latido debajo de los músculos. Tomé aire. Aspiré profundamente, como si alguien me fuera a robar el oxígeno. Me olí la piel, como un animalito. Buscando olerla a ella. Las imágenes se me cruzaban muy rápido. Sentí que lo que tenía era un derrumbe de colores debajo de los ojos. Como si alguien volteara una caja llena de piezas de rompecabezas dentro de mi cabeza:

Labios de Vivian, moviéndose.
Muslo de Vivian.
Voz de Vivian diciéndome ¿quieres venir a mi casa?
Vivian con falda azul y camisa blanca.
Labios de Vivian: sonríen, se estiran, se tienden, se abren.
Culo de Vivian. Tetas de Vivian.
Su cuerpo es un mareo.
Desnudez de Vivian.
Vivian camina. Vivian se acuesta.
Vértigo de Vivian.
Vivian va.
Viene.
Cuerpo de Vivian: ¿quieres entrar?

Todo empezó cuando Izquierdo me avisó que le había ido pésimo en la reunión. Le rebotaron la propuesta de convertir a Yubirí en la villana del programa. Él formó un escándalo, se hizo el ofendido, expuso sus razones, explicó, casi amenazó, pero igual no sirvió de nada. El Comité se puso bruto, me dijo. Decidieron que Vivian Quiroz fuera la villana del cuento. Es la única que es actriz, que no es una damnificada real. Izquierdo estaba de muy mal humor. Pensaba usar a Vivian en el papel más estelar, como figura femenina central de la historia. Eso nos deja sin protagonista, me dijo. O peor: nos obliga a usar a una de las concursantes como protagonista. Dijo que se iba a encerrar hasta el sábado para pensar de nuevo todo y terminar de ajustar a los otros personajes. Y entonces vino el milagro:

Encárgate tú de esa muchacha.

Yo quedé boquiabierto. Izquierdo me pidió que fuera a hablar con ella, que le explicara el personaje, que la atendiera. Dile qué queremos, qué esperamos de ella. Llévate el perfil del personaje, háblale claro, que entienda que es la mala del cuento.

Ahí empecé a sentir ese movimiento dentro del cuerpo. Como un rumor pequeño. Cuando la llamé por teléfono, para ver cuándo y dónde nos reuníamos, me preguntó si no quería ir a su casa ¿Tu casa? ¿Su casa? ¿La casa de Vivian Quiroz? Ahí el rumor comenzó a convertirse en movimiento, sentí que algo estaba vibrando dentro de mis huesos. Ésta es la dirección: Avenida Principal de Los Chaguaramos. Edificio Linus. Piso 3. Apartamento 34.

Quedamos a las cuatro pero, desde las once y media, yo ya no podía pensar en otra cosa. Recordaba las fotos de Vivian. Ella tendida al borde de la piscina. Pensaba en ella de manera intensa, en cámara rápida. Esa sonrisa seductora, ¿sería sólo una pose? La imaginaba bañándose, preparándose para mí. Pensaba también en todas las fantasías de mis amigos. Recordaba todas las veces que Randy me había hablado de la ley colchón, de ese supuesto procedimiento natural según el cual las actrices se acuestan con los escritores para obtener un buen papel en los programas. ¿Sería eso cierto? Ni el señor Quevedo, ni Izquierdo, la verdad es que nunca he visto a nadie en el canal en ese plan. Jamás había escuchado algo que pudiera tan siquiera corroborar que realmente ese procedimiento existiera. Hasta ahora, según mi experiencia en el canal, sólo era parte de una simple fantasía. Pero... ¿y si era cierto? Aunque fuera con pocas actrices, con algunas. ¿Y si fuera cierto con Vivian Quiroz?

Cuando toqué el timbre, sentí que mi mano tiritaba. Como si tuviera mucho frío. Como si, bajo ese sol tropical de las cuatro de la tarde, yo me sintiera en medio de la nieve. El intercomunicador no servía. Ella podía escucharme pero no podía abrir la puerta desde su apartamento. Se asomó a una ventana, me gritó. Alcé la cara y toda la luz se me metió en los ojos. Me lanzó la llave. Con cada paso, yo estaba más nervioso. Un poco antes, me había detenido en una farmacia y, en voz baja, había pedido unos preservativos. Me preguntaron si los quería de sabores. Dije que no. Sólo tenían de sabores o de colores. Compré dos azules. No sé por qué compré dos. Por si acaso, supongo. Cuando subía por el viejo ascensor, la carpeta con el material de trabajo me pareció tan liviana. Los preservativos, dentro del bolsillo de mi pantalón, ardían.

Vivian vive en un apartamento pequeño, dos habitaciones y un baño. Lo comparte con una amiga, Jimena se llama, según me dijo, que estudia Odontología en la universidad. Vivian estudia arte. Va en las mañanas a las clases y, en la tarde, toma un curso de formación teatral y ensaya con un grupo. Llevaba una falda azul, de bluyín, y una camisa blanca de algodón, sin mangas. Debajo de la camisa, brillaban sus pezones, negros, pequeños. Apenas los vi así, sueltos, libres, pensé que era una buena señal. Estuvimos hablando un rato, le dije que yo estudiaba Letras, que estaba en un taller de poesía. Me atreví a mentir: le dije que en agosto iba a publicar mi primer libro. Quería impresionarla. En realidad, en agosto sacaremos un folleto con un poema de cada uno de los que estamos en el taller. Exageré un poco. Ella me habló de una obra de teatro que estaban montando, que estaban a punto de estrenar. Algo de Chéjov. Me preguntó si había leído, si conocía esa obra. Le dije que sí. También mentí.

Nos tomamos primero un café. Luego, ella me ofreció un roncito. Si tú tomas, yo tomo, le dije. Ella sirvió el ron en dos tazas de peltre. No hay hielo, me dijo. A la nevera no le funciona el frezeer. Así comenzó todo. Hablamos del programa, de la historia, de su personaje. Le mostré el perfil que Izquierdo había escrito. Empezamos a tener más confianza y a reírnos con más frecuencia. Nos tomamos dos o tres tazas más de ron. Yo le acaricié el cabello. Le dije que era bellísima. Ella se sonrojó o hizo que se sonrojaba. Nos besamos. Primero, un solo toque, chiquito, como un piquito. Y ella parecía indecisa, o que tenía pena. O actuaba como si estuviera indecisa o como si fuera tímida. Pero yo ya estaba lanzado, enloquecido. Comencé a lamerle las tetas por encima de la camisa. Solté mi mano debajo de su falda. La besé profundamente. Los dos ya estábamos muy excitados. Todo era un desorden maravilloso, teníamos la ropa desarreglada, los cuerpos en emergencia. Ella de pronto se detuvo, en medio de un jadeo, tomando aire, me miró, espérate, me dijo, no tenemos preservativos. Yo volví a besarla. La tarde se puso azul.

Antes de volver a casa, pasé por la universidad. Serían como las ocho de la noche, yo todavía estaba eléctrico. Felipe me dijo que Randy ya se había ido. Cuando bajaba las escaleras, casi me tropecé con Emiliana. Cosa rara: se detuvo a hablar conmigo. Me dijo que había terminado con su novio. Me lo dijo de pasada pero de todos modos me lo dijo. Yo esquivé la frase, todavía estaba bajo el efecto Vivian. Ella me miró algo extrañada, sorprendida. Quizás esperaba otra reacción. Luego me preguntó cómo me iba con lo de la televisión. Le dije que bien. Muy bien, agregué después. Ella entonces me habló seriamente. O quizás ése no es el adverbio. Me habló severamente, más bien. Me dijo que no entendía cómo podía hacer eso. Cómo puedes trabajar en televisión y leer a César Vallejo, me preguntó. Yo la miré con cara de idiota. No sabía qué responder. Pero tampoco me importaba. De pronto sentí que no me importaba nada ella. Que me estaba hablando en otro idioma. Que lo que decía, en realidad, no tenía nada que ver conmigo. Emiliana se evaporó delante de mí. Seguí ahí pero ya no estaba ahí. No sé si me explico. Se volvió mi nada.

Todos se observan con curiosidad. El proceso de selección se ha llevado con una privacidad rigurosa, aunque sabían de la existencia de los otros, nunca antes habían coincidido, al menos así, todos juntos, mirándose de frente. Los citaron a las nueve de la mañana en el canal. Cada uno fue llevado a una oficina diferente. Luego, los fueron introduciendo, de manera individual, en el estudio 3. El foro sólo tiene siete sillas de metal, dispuestas en semicírculo, en el centro. Están iluminadas por las luces cenitales que cuelgan de la parrilla del techo, lo que le otorga un aspecto de extraña limpieza al lugar. Alrededor de las sillas, están tres cámaras, de pie sobre sus trípodes móviles, ya listas para empezar a grabar.

Todo estudio de televisión se parece a un quirófano. El frío del aire acondicionado es demoledor. Se cuela debajo de las uñas, palpita en el fondo de los cuerpos. Pero las cámaras permanecen impasibles. Los instrumentos tienen un protagonismo indiscutible. Hay un exceso de metales. Flota siempre la sensación plana que promueve la idea de que, en ese lugar, termina una realidad y comienza otra. Un interruptor es una metáfora sagrada. Aquí se apaga o se prende la existencia.

Por turnos, cada uno va ingresando al estudio. Todos entran solos. Cada quien trata de administrar su nerviosismo como puede. De los siete, sólo tres se sientan. Dos mujeres, un hombre. Los demás se dedican a mirar el lugar, tratando de distraer la insoportable sensación de espera que los envuelve. Cada vez se miran más y con mayor detenimiento. A medida que pasan los minutos, parecen más dispuestos a interactuar. Primero con gestos, luego con pequeñas muecas; después intercambian ademanes, alguna suspira sonoramente, otra chasquea los dedos, uno de los hombres comienza a mover nerviosamente los dedos de su mano, golpeándolos contra el respaldo de una silla vacía. Intenta producir un ritmo que a nadie le agrada. A la segunda mirada de reproche, detiene el movimiento. Después de cuarenta y cinco minutos, la espera los reduce. Ya todos están sentados.

De pronto, se escucha un sonido de gotas plásticas. Es la suela de goma de los zapatos de los camarógrafos. Salen de las sombras. Son tres. Visten el mismo uniforme: unos overoles de color azul oscuro, con el logo del canal cosido en el bolsillo derecho. Ni siquiera saludan. Como si fueran soldados, cada uno se dirige a su cámara, se instala detrás de ella, la enciende. Un diminuto foco rojo, erguido sobre cada lente, se enciende. Los siete se miran, desconcertados. Una de las mujeres sonríe tontamente. Es una manera amable de disfrazar el miedo. Desde lo alto, de pronto, una voz deja caer una palabra. Es un dios que habla muy poco. Casi siempre repite lo mismo.

–¡Acción!

Apenas escuchan la palabra, todos comienzan a mirarse, raptados por una extraña inquietud. Ladean los rostros, sienten las lenguas secas. Deben hacer algo, pero qué. Antes aún de empezar, ya son culpables, ya están perdiendo el tiempo.

13

Sólo en las telenovelas se usa la palabra arpía. No tiene lugar en otro lado. Es un término que se quedó atrapado en ese idioma particular, en ese modo de conversación que únicamente se da en las telenovelas más tradicionales. Podría ocurrir más o menos así: aparecen dos mujeres enfrentadas, por un hombre por supuesto, porque en las telenovelas las mujeres no tienen otro tema que los hombres ni otro destino que el matrimonio. El decorado puede ser un set normal, la casa de una de ellas. Una acaba de llegar, la otra la recibe. Hay una evidente tensión entre ambas. Con un simple vistazo, cualquiera se da cuenta de que una es buena y la otra es mala. A la televisión no le gustan los matices. En la mitad, entre ambas, solo queda un clima sentimental donde pueden insultarse libremente. Ahí, entonces puede de repente saltar y encontrar su lugar la palabra arpía.

> BEATRIZ (INDIGNADA, A PUNTO DE LLORAR DE RABIA): ¡Lo que le estás haciendo a Luis Enrique es un crimen, Catalina! ¡Está en la cárcel por tu culpa, por tu testimonio!

CATALINA (CON MEDIA SONRISA, DESDEÑOSA):
¡Está en la cárcel por (ENFATIZA) su culpa! ¡Si se hubiera quedado conmigo, nada de esto le estaría pasando!

BEATRIZ (EXASPERADA ANTE TANTO DESCARADO):
¡Pero tu testimonio es falso! ¡Tú lo sabes! ¡Estás mintiendo!

CATALINA (IRÓNICA):
Nadie puede probarlo, Beatriz... (SE ACERCA, ENTRE DIENTES) Se los advertí... A ti y a él... Ustedes no serán felices... ¡Jamás!

AUDIO: ACORDETAZOS.

BEATRIZ LA MIRA SIN PODER CREER TODAVÍA TANTA MALDAD. SE APOYA EN LA MESA, MIENTRAS CATALINA LE SIGUE SONRIENDO PERVERSAMENTE.

BEATRIZ (CASI UNA EXHALACIÓN):
¡Eres una arpía! (AGUANTANDO EL LLANTO) ¡Algún día pagarás por todo esto!

Nunca escribí tantas veces la palabra arpía como cuando trabajé en *Rosa salvaje.* La jefa de equipo era Milena Cardona, una señora que, en esos años, estaba en el apogeo de su menopausia. Había dos insultos que la transportaban, que parecían llevarla a algo parecido al éxtasis. Uno era «arpía». El otro era «rata de albañal». Consideraba que estas expresiones representaban el súmmum de la maestría literaria. Todo el siglo de oro le parecía una soberana cagada comparado con estos hallazgos idiomáticos. Cada vez que leía alguno de estos improperios se le hacía agua la boca. Yo comencé a obsesionarme con los dos términos. Pasé casi seis meses escribiendo diariamente uno u otro. En ocasiones, me tocaba escribir ambos insultos en el mismo episodio. A veces, todavía, en las noches, al final de la jornada, recuerdo esas palabras. Me pregunto por qué mi memoria, que ha descuidado tantas cosas, se aferró a esos insultos de manera tan contundente. Si trato de recordar a las mujeres con las que estuve, a las mujeres que han sido, por una razón u otra, importantes en mi vida, creo que a ninguna jamás le diría arpía. Aunque, tal vez, más de una se lo merezca. Tampoco sé si alguna de ellas se exprese de mí diciendo «rata de albañal». Aunque quizás lo fui. La telenovela no es un tema, no es una historia; sólo es un lenguaje.

Toda mujer está buscando un hombre que le grite.

Ésa es fue la primera frase.

Pasó así, un miércoles casi en la nochecita. Me sentó en una silla, junto a su computadora, cerca del balcón, en su apartamento, y me dijo escúchame bien, te voy a hacer un favor, te voy a regalar todos mis trucos. Si alguna vez yo escribo un libro, me dijo, no va a ser un libro de literatura. Dalo por hecho. Eso puedes firmarlo. Eso también me dijo. Lo único que yo puedo escribir más o menos decentemente es un manual. Tenía en la mano un vaso, se estaba bebiendo un trago de vodka con hielo y aguakina. Pero no estaba borracho. Para nada. Estaba muy serio. Y siguió: ¿sabes cómo podría llamarse ese manual? Se detuvo un momento, sonrió con esa sonrisa rara, mitad burlona, mitad melancólica, y luego me lo soltó: *Instrucciones para hacer llorar a las mujeres.* Ése es mi libro. Eso es lo único que yo puedo escribir, me dijo.

Así fue como empezamos. Izquierdo en plan de maestro y yo en plan de aprendiz. A veces lanzaba frases así, como si fueran pedradas. Toda mujer está buscando un hombre que le grite. Por ejemplo. Fue la primera, ya lo dije. Y eso le servía para hablar de las protagonistas femeninas en las telenovelas. En general, se trabaja con dos arquetipos, decía. La buena y noble, con frecuencia tímida y algo temerosa; o el contrario, la muchacha fuerte, algo salvaje, peleona. Ambas, sin embargo, siempre deben tener el corazón de hojaldre. Sea cual sea el arquetipo, lo importante es que ninguna de las dos ha conocido el amor, el amor verdadero, por supuesto, aclaraba, casi a punto de soltar un carcajada. Izquierdo era pura ironía envasada al vacío. Se burlaba de la idea femenina que vende la telenovela, decía que la telenovela era la gran responsable de la educación sentimental del continente, lanzaba chistes duros, afirmaba que las únicas vírgenes de Latinoamérica estaban en las telenovelas. Toda mujer está buscando a un hombre que le grite. Que le diga cómo son las cosas. Que le proponga matrimonio. Que la calme. El recio de la película, repetía. La autoridad y el destino. Apréndete esto, Pablito: en las telenovelas, las mujeres sólo existen para esperar que un hombre llegue y les diga cásate conmigo. Yo lo oía y trataba de encajar a Emiliana y a Vivian en cualquiera de esos dos arquetipos. Las empujaba, intentaba que calzaran en cada casilla. Emiliana sería la tímida, la pálida, la frágil. Vivian sería el opuesto: fogosa, decidida, llena de iniciativa, siempre al ataque. Salvaje. Cada vez más me gustaba imaginarla salvaje. Tienes que estar atento ante lo que sucede en la pantalla, decía Izquierdo. Enciende el televisor y pon una telenovela. No la veas. No hace falta. La telenovela es un género verbal. Es mejor escucharla. Lo entenderás todo claramente, siempre repetía. En cualquier telenovela, se dice mil veces la palabra boda y no se pronuncia ni una vez la palabra orgasmo. ¿Eso no te parece una definición del género?

Los números han seguido bajando. El canal está en picada. Quevedo no puede ocultar su satisfacción. Aun debajo de su mirada grave, de su mejor rictus de preocupación, hay un leve rastro que delata su íntima sensación de victoria, un resplandor fugaz en la pupila izquierda, la manera de doblar el informe de medición de *share* del día anterior, el breve sorbo de café con el que calienta su aliento. Todo el Comité de Programación, reunido en la sala de la directiva, ahora lo espera a él. Lo miran. Nuevamente es el centro, el eje. Dos minutos antes, por teléfono, desde Miami, el dueño del canal ha dado instrucciones precisas. No le importa cómo, no le importa de qué manera, pero el *rating* debe subir. Cuando su voz se desvaneció y sólo quedó goteando el tono del teléfono, un contundente clima de peligro invadió toda la sala. Como si una sombra hubiera escapado de pronto por el auricular y hubiera teñido todo lo que encontrara a su paso. Todos, entonces, nublados y nerviosos, miraron a Quevedo, cada vez más deseosos de creer en su milagro.

Quevedo habla de manera concreta y con autoridad. Explica que están haciendo lo imposible por apurar la salida al aire del nuevo programa. Ya la casa se encuentra completamente lista.

–Los técnicos están realizando las últimas pruebas de sonido –acota–, pero hoy mismo podríamos empezar a grabar.

Los participantes han sido trasladados a uno de los estudios del canal. Están trabajando ocho horas al día con Claudio Aranguren, un viejo profesor de teatro que, desde hace años, dirige la escuela de artes escénicas del canal.

–Los hemos grabado durante todos estos días para poder monitorear después sus dificultades, las cosas que podemos aprovechar y las que debemos cuidar cuando ya estemos al aire.

Los demás ejecutivos, ahora, se muestran menos reticentes, más dispuestos al entusiasmo, aunque, sin embargo, siempre guardan una prudente distancia, la suficiente como para permitirse aprovechar el triunfo, si el proyecto de Quevedo logra finalmente ser un milagro eficaz, o para permitirse escapar a tiempo y deslastrarse de cualquier relación con Quevedo, si finalmente el milagro resulta un fracaso. Son los equilibristas del *rating*.

–La historia ya está definida y, a partir de hoy mismo, en el taller, los participantes comienzan a trabajar con sus propios personajes. –Izquierdo habla pausadamente. Lleva corbata y un blazer azul que, apenas entrar, crucificó sobre el respaldo de su silla.

La idea, según explica, es que cada participante tenga su propia *coach* personal, una suerte de *script* que lo mantenga continuamente recordando el personaje, los rasgos y detalles que se han delineado. Habla de cada uno de los participantes y explica cómo se ha intervenido su historia, de qué manera se ha envenenado su relato personal para que funcione melodramáticamente en el programa.

Yo hice teatro, ¿sabe? De muchacho, cuando tenía como diecisiete. En el liceo. Una profesora nos puso una vez a hacer una obra, una vaina sobre Bolívar. Yo hice de soldado. Tenía que decir poquito. Una sola vez. Todavía me acuerdo. Yo llegaba, Bolívar estaba ahí, y yo tenía que entrar, corriendo, como si tuviera tremendo susto. ¡General! ¡General Bolívar! ¡Ahí vienen los españoles! Y tenía que decir eso, señalando para adentro, hacia donde estaban los tubos, donde la gente ya no veía nada, pues. Por eso le digo. Yo ya tengo experiencia. A mí esto del teatro se me da.

Los dos últimos participantes que faltaban por definir

ya están trabajando de lleno en las historias que Izquierdo y Pablo Manzanares les han diseñado.

–Uno de ellos va a cumplir con la clásica historia del Conde de Montecristo. –Mientras, habla, Izquierdo busca algo entre sus papeles, encuentra por fin la hoja–. ¡Aquí está! ¡Edelvardo García Méndez! –exclama–. ¿No suena estupendo? ¡Éste va a ser nuestro Edmundo Dantés!

El libretista explica someramente su idea. Un hombre clase media, honesto y trabajador, lleno de ilusiones, con un futuro promisorio en el horizonte, de pronto es acusado de corrupción.

–La corrupción nunca pasa de moda –acota Izquierdo, con media sonrisa sardónica.

La acusación es falsa. Se trata de un delito fraguado por gente envidiosa y resentida, que sólo desea desplazar a este hombre. Judicialmente no logran probar nada pero el escándalo es suficiente: queda sin trabajo, sin mujer, si futuro y, obviamente, sin ilusiones. Termina como un paria en la pobreza. La lluvia sólo es el final del castigo. El plan propuesto en el guión incluía que la casa del concurso fuera el castillo de If y que, durante el transcurso del *reality* y con la ayuda de los otros participantes, Edelvardo García Méndez se transformara en una suerte de jeque del lejano oriente, magnate petrolero, mientras ajustaba cuentas con el pasado y consumaba su drástica venganza.

Ficha # 5
Nombre y apellido: Edelvardo García Méndez.
Lugar de nacimiento: Mérida.
Edad: 32 años.
Ocupación: empleado público.
Estado civil: casado.
Número de hijos: tres.

Yo no estaba ahí en Santa Cruz. De hecho yo no vivía ahí. Ahí estaba mi familia. Bueno, mi mujer y mis hijos. Lo que pasaba es que ya mi mujer y yo no estábamos juntos. Porque yo llevaba tiempo trabajando en el Ministerio y eso me ponía a viajar mucho. A mi mujer no le gustaba. Por eso nos separamos.

(...)

A mí me llaman en la madrugada. Yo oigo el celular y pienso de inmediato que algo malo pasó. Eso pensé. Cuando agarré el teléfono no dije ni aló. Dije qué pasó. Estaba asustado. Y era mi mujer, mi señora, pues, la de allá. Estaba llorando. Que no se le entendía nada. Lloraba. Gritaba. Y todavía también se oía el agua cayendo. Yo estaba por los lados del sur del lago, por allá no llovía nada. Pero dentro del teléfono eso sí que estaba lleno de agua. Yo le dije cálmate, coño, habla claro. Pero ella lloraba y gritaba, no hay manera. Hasta que la entendí. Hasta que lo gritó duro, clarito. Fue como si me metieran un balazo en el oído. Williams está muerto. Eso fue lo que oí. En medio del agua. Williams, que tenía dos años apenas, apenitas. Williams está muerto. Mi mujer se quedó pegada en eso. Y yo salí. Como zombi. Salí del cuarto donde estaba, así mismo, como estaba, en calzoncillos, descalzo. Salí igualito, con el teléfono en la mano, salí a la calle. Estaba como loco. Ya mi mujer ni siquiera hablaba. La llamada se había acabado. Pero yo seguía así, con el teléfono pegado a la oreja. Sin decir un coño, sin oír un coño. Pero caminando por la calle, medio desnudo. Así duré como tres horas hasta que agarré y le pagué a un carro y me regresé a mi casa.

(...)

A Williams lo enterramos en una urna blanca. Estuvimos cantándole dos noches.

¿Qué es lo real? Cada vez me cuesta más precisarlo. Cada vez, quizás, me importa menos. No me interesa esa distinción. Me parece inútil, prescindible. Cuando intento recordar, me resulta todavía más evidente. La memoria es ebria. Actúa de manera difusa, avanza o retrocede guiada por un vaivén irregular. No es posible conocer sus motivos. No tiene orden ni control. Recordar y emborracharse son faenas muy parecidas, viajes similares. La sombra de lo real, a veces, sólo se caza con la imaginación.

Durante demasiados años, lo más real que he tenido es la ficción. Y durante demasiados años, también, me he resistido a que mi vida, supuestamente mi más palpable realidad, se parezca tanto a un mal invento, a la estereotipada secuencia que cualquiera pueda imaginar. «Tú no vas a convertir mi vida en una telenovela.» Ésas fueron las últimas palabras que le dije a Beatriz. Estábamos los dos esposados, dentro de una camioneta de la policía. Aturdidos como pájaros que acaban de ser capturados y lanzados dentro de una jaula. Ella puso cara de mujer que va a llorar. Después de esa noche, no volví a verla jamás.

Al principio, no entendí nada. La hermosa, sensual y fascinante Vivian de pronto se esfumó. En su lugar apareció otra mujer, eficiente, más pendiente de hablar de su propia carrera que de conversar sobre la poesía; más pendiente de hablar, de hablar y aclarar las cosas, que de desnudarse y hacer el amor conmigo.

Izquierdo dice que los actores y las actrices son una raza especial. No se puede confiar en la gente que trabaja con su vanidad, con su imagen. Izquierdo asegura que todos siempre piensan lo mismo, siempre tienen una única propuesta: ser el o la protagonista.

Vivian tuvo una idea.

Estuve leyendo todo el material que me trajiste. Lo pensé bien. Pablo: no quiero ser la villana. Ése no fue el papel que me ofreció al principio el señor Quevedo.

Yo le miraba los labios. Presentía sus pezones, escondidos detrás de una pesada chaqueta de bluyín. Quería tocarla.

Porque, si a ver vamos, en verdad, la única que es actriz de todo el grupo soy yo. La única verdaderamente profesional soy yo. Yo también estoy arriesgando mucho en este proyecto. A mí, antier, me llamaron para un *casting* de la nueva novela del canal 9.

Supongo que la miraba con cara de pendejo. De pendejo babeado, además.

¿Entiendes lo que te estoy diciendo?

Yo dije que sí, por supuesto. Dije que sí un millón de veces. Dije que sí al cuadrado. Le regalé un exceso de síes inmenso. Todo con tal de pasar a los poemas. Todo con tal de pasar a su cuarto, a su cama, a su cuerpo. Le dije que sí con tono de jefe. Le dije que sí y no te preocupes, yo lo arreglo. Le dije que sí en plan de deja todo en mis manos. En mis manos. En mis manos.

Pero luego vino lo peor: el señor Quevedo me dijo que no. Estábamos en su oficina cuando intenté explicarle el asunto. Mi estrategia era hablar con el señor Quevedo, contarle cuáles eran las exigencias de nuestra actriz. Mi estrategia continuaba de manera sencilla con un señor Quevedo que, apurado, obligado por las circunstancias, me decía que todo estaba bien, que no había rollo, y me mandaba directo a hablar con Izquierdo para hacer todos los cambios del caso: Vivian no es la villana. Pero el señor Quevedo dijo que no. Aquí no vamos a ser rehenes de los caprichos de esa carajita. Algo así dijo. De mal humor, además. Qué coño se ha creído. Tengo a veinte como ella haciendo fila. Vete y dile que o hace el papel que le proponemos o se va a la mierda. Eso también me dijo.

Me vi en el trance de estar frente a Vivian, de nuevo, en su apartamento. Su imagen era feroz: seria, severa. Vestía un uniforme que no me permitía ver ni un centímetro de su piel. Me vi expulsado de su cama para siempre.

No te dejes manipular por esa muchacha, me dijo el señor Quevedo, sacudiéndome la fatal fantasía de futuro en la que andaba. Después me miró. Una sospecha cruzó rápido debajo de sus pupilas ¿Te la estás cogiendo?, preguntó, casi con maravillado asombro.

No sé cómo pasó, sé que no fue de un día a otro, fue algo gradual, paulatino; ocurrió casi sin darme cuenta. No fue exactamente que las mujeres empezaron a gustarme menos, pero sí comenzaron a gustarme distinto, de otra manera. De pronto, me di cuenta de que algo estaba cambiando en algún lugar de mis ganas, de que mis ansias se estaban moviendo. Después de los cincuenta, también comienzan las mudanzas interiores. Uno tiene que estar atento, vigilante. Como se siente cualquiera ante la noche, en un lugar deshabitado, en una playa o en una montaña, y el cielo de repente comienza a ser el mejor mapa. Uno mira hacia arriba y puede quedarse así, colgado, pendiente, esperando algún pequeño destello, el breve roce de una luz sobre la sombras. Abajo, atrás, lejos, quedan todos los sonidos. Así, más o menos, me pasa ahora conmigo. A veces. A los hombres, encontrar la intimidad nos lleva tiempo. Es algo que nos llega tarde, cuando comenzamos a estar viejos.

Cuando yo era un muchacho me gustaban todas. Por supuesto que tenía preferencias, que algunas eras especiales, pero en general me gustaban todas. Con mis amigos, íbamos a una barbería donde había tres peluqueros: dos hombres y una mujer. Yo siempre hacía fila, estaba dispuesto a esperar lo que fuera, con tal de que ella me cortara el pelo. Con tal de que me tocara. Con tal de tenerla cerca. Un descuido de sus senos pasando junto a mi hombro fue mi primera noción de lo que podría ser un orgasmo. Yo la seguía con la vista, a través del gran espejo que quedaba frente a las tres viejas y pesadas sillas de barbería. Era una mujer robusta, de senos enormes, siempre generosos, apenas ajustados detrás del tenso botón de su camisa. Todo transcurría bajo la deliciosa excitación del disimulo. Ella movía las tijeras a mi alrededor. Yo fingía leer una revista, pero cada vez ganaba más espacio con los brazos, los estiraba suavemente, deslizando los codos hacia ella, fraguando una casualidad, buscando un instante maravilloso de contacto. A veces creo que ese origen guió mi vida erótica durante muchos años. Cuando era estudiante, en el autobús, de regreso a casa, siempre buscaba sentarme al lado de cualquier muchacha, si me atraía y encima me resultaba simpática, mucho mejor, pero si no ocurría así, también me daba igual. Sólo deseaba estar cerca, lo más cerca posible, tratar de establecer cualquier tipo de toque con ellas. Los cuerpos de las mujeres tenían un imán imbatible. A toda prueba. El deseo era una ansiedad tan dura como el metal. A medida que fui creciendo, que tuve novias, vida sexual, viví en concubinato, me casé, tuve amantes, me divorcié..., no importaba el tipo de relación formal que estableciera, siempre seguía manteniendo el mismo impulso ante las mujeres. Hay asombro pero también hay sed. Lo físico siempre termina dominándonos. La sed golpea, duele, se hace hueso. Supongo que a todos nos pasa igual. Los hombres vivimos el cuerpo de manera violenta. Sólo podemos amar atacando, invadiendo.

En los años enloquecidos, cuando derrochaba el éxito y todas las semanas tenía una fiesta con actrices y cocaína, me pasaba lo mismo. En los años duros, después del escándalo, después de que nos detuvieron y pasé unos días en la cárcel, cuando dejé la droga y me deprimía con frecuencia, salía en las tardes al centro de la ciudad a ver muchachas. Era lo único que me animaba. «Voy de *women shopping*», murmuraba, como queriendo bromear conmigo mismo, con mi melancolía. Sólo quería verlas pasar. Tan distintas todas, tan extraordinarias. Moviendo sus caderas, contoneándose, maquilladas o sin una gota de pintura encima, delgadas o rellenitas, con las clavículas al aire, con faldas cerradas, con sandalias o con zapatos de tacón. Gorditas, pequeñas, altas, ninguna diferencia era demasiado importante. Era un milagro cotidiano, el mejor espectáculo que podía cruzar ante mis ojos. Todas me aliviaban. Todas me gustaban. Podía encontrar, incluso en la menos atractiva, en la más escurridiza y desgarbada, un detalle que la hiciera merecedora de una mirada, de un deseo.

Una mañana, en una columna de *La Nación,* el periodista más crítico de la fuente de farándula publica una breve nota lacerante, titulada: «El baile de las feas». Con una información, más o menos precisa, el cronista anuncia el proyecto del canal y, sin ninguna cortapisa, se dedica a ironizar y a cuestionar la naturaleza y las intenciones del proyecto de Quevedo. Algunos párrafos son demoledores. Utiliza la alegoría de un certamen de mujeres horribles que, hace algunos años, tuvo gran éxito en la televisión. Aduce que es lo mismo. Acusa al canal de «usar la pobreza como espectáculo», de pretender hacer «con la tragedia del prójimo, un gran negocio». Acompaña el escrito una foto de Quevedo sonriente. La leyenda del retrato es otro sable: «El siempre sonriente vicepresidente de Proyectos Especiales del canal 6». Antes de las ocho de la mañana, están sonando todos los teléfonos.

No hay manera de detener los comentarios. La pequeña esquina de una página de la prensa se cuela de pronto en esa intangible e imprecisa contundencia llamada opinión pública. Es leída en radio y debatida en todos lados. A medida que se multiplican los comentarios también aumenta la alarma dentro del canal. Quevedo capea la situación, acusa a los canales de la competencia de financiar y de promover la campaña, pide calma, impone firmeza, asegura que en el fondo todo el escándalo les conviene, es publicidad gratuita, favorece al *rating*. Pide confianza.

–Confíen en mí –dice en la reunión con la directiva.

–Confíen en mí –repite en la junta con el departamento legal.

–Confíen en mí –insiste ante el Comité de Programación.

Esa misma noche, en el noticiero estelar, el canal ofrece un comunicado, sin aludir a la comuna pero dando explicaciones y despejando cualquier tipo de sospecha sobre la integridad del programa.

–Confíen en mí –le dice el canal a la audiencia.

Desde que el señor Quevedo me dijo que él se encargaría del caso Vivian estoy fatal. Deja eso en mis manos, me dijo. Y yo no hago sino pensar en eso. En la manos del señor Quevedo. En Vivian y en las manos del señor Quevedo. Yo sé cómo resolverlo, también me dijo. Y yo volví entonces a pensar en lo mismo, igualito. Imaginé lo peor. El cuerpo de Vivian pasando de mis manos a las manos del señor Quevedo. Esa noche no fui al taller. No podía concentrarme. Estaba tan inquieto que tenía que mover las piernas y mis manos. No sabía qué hacer. Sentía que tenía muchos dedos de más. Compré una pizza y cené con mi mamá. Ella estaba feliz. Me puso al día con todos los cuentos de la familia, se quejó de su trabajo, habló de la situación del país. Yo le seguí la conversación a punta de monosílabos, de vez en cuando le preguntaba algo, como para que viera que sí estaba atento, pendiente. Pero en realidad no hacía más que pensar en Vivian. Vivian y el señor Quevedo. Nunca te enamores de una actriz ¿Cuántas veces me habrá repetido eso Manuel Izquierdo?

A la una de la madrugada la llamé por teléfono. Ya no me aguantaba. Había intentado leer, había tratado de ver televisión, tampoco pude jugar con los videos. Nada. Tenía el ánimo frito. Imaginaba los labios de Vivian en las manos del señor Quevedo. Las tetas de Vivian en las manos del señor Quevedo. Las nalgas de Vivian en las uñas del señor Quevedo. Llame sin saber qué iba a hacer si me contestaba, qué iba a decirle. Pero nunca respondió.

Al día siguiente fui muy temprano al canal. Quería estar ya ahí cuando llegara el señor Quevedo. Quería verle la cara. Quería ver si tenía una expresión distinta, si caminaba de manera diferente. Quería ver cómo me miraba. Pero llegó apurado, hablando por teléfono, cruzó casi mirarme. Hola, Pablito, me dijo. Hola, señor Quevedo, le dije yo. Y cerró la puerta.

Nunca te enamores de una actriz.

Los cambios importantes de la vida no ocurren en un instante; suceden más bien con una peculiar lentitud, casi ocultos, como si quisieran disfrazar su propio movimiento. Me vi un día, de repente, pensando en el hechizo simbólico de mi relación con las mujeres. Ya no quedaba simplemente extasiado ante sus formas sino que, después, reflexionaba sobre ellas. Comenzó a aparecer una nueva voz, dentro de mí, que saboteaba suavemente mi fascinación. Mi deseo ya no corría ensimismado detrás de una falda azul, no se arrodillaba ante una cabellera revuelta, no quedaba mudo ante unos pies delgados, ante su manera de moverse; ahora, la nueva voz introducía una pausa, una distancia, una sabiduría helada. Dice mi voz: detrás de esa diosa que camina delante de ti, detrás de sus pantalones blancos, detrás de la delgada tela de su ropa interior, detrás de la marea de su cintura, sólo hay una mujer desnuda. Dice mi voz: desnuda, tan desnuda como todas. Sus piernas, sus nalgas, su pecho, su boca. Igual. Un cuerpo. Otro cuerpo. Una mujer desnuda que, antes de volverse a poner la ropa, se pone también sus sentimientos y sus prejuicios, toda esa mierda de telenovelas que tú te la pasas escribiendo. Así habla mi nueva voz interior. Su frase preferida es «Esto ya lo vivimos antes». Hace veinte años, el deseo definía todo. No me importaba nada con tal de calmarlo, de satisfacerlo, de halagarlo. Ahora sé que también hay vida después del deseo. Ahora me siento vulnerable frente a los símbolos.

Una mujer desnuda: mi madre en su cuarto del hospital.

14

Cuando desperté, lo primero que vi fue a una enfermera. Abrí los ojos y estaba ahí. Yo sólo vi la bata, pero supe que era enfermera por el olor. Todo olía raro. Como al alcohol que no es de beber.

Cuando me di cuenta, estaba enterrado en el archivo. El señor Quevedo me dijo que había que dejar al grupo de participantes solos, concentrándose, trabajando con su profesor de actuación. Mejor no los presionemos demasiado, me comentó. Decía eso pero yo imaginaba que decía otras cosas. Sus palabras eran un disfraz de otras palabras. En el fondo estaba diciéndome no te preocupes, Pablito, yo me voy hacer cargo. Tranquilo, requete Pablito: deja eso en mis manos. Dijera lo que dijera, eso es lo que en el fondo estaba diciendo. Yo lo sabía. Y él también lo sabía. Por eso mismo me mandó al archivo. Me dijo que, leyendo la propuesta de Izquierdo, uno de sus asesores había pensado que era mejor que una de las damnificadas no fuera la hija ilegítima de una señora rica sino de una vieja actriz de la televisión. Eso tendría más video, más espectáculo, me dijo. Eso desataría más morbo, también me dijo.

Ésa es otra de las cosas que he descubierto de esta industria. Todo el mundo siente que puede opinar sobre los libretos. Cualquiera agarra un guión y piensa que le falta o que le sobra acción, romance, truculencia, aventura. Izquierdo dice que, en la televisión, hasta el más pendejo opina como si se hubiera leído la poética de Aristóteles. Yo creo que el señor Quevedo aprovechó a uno de sus pendejos particulares para alejarme de Vivian Quiroz y mandarme al archivo a ver material sobre las viejas leyendas del pasado.

Cuando conocí a Laura Solieri, Laura Solieri debía tener casi sesenta años y todavía era una diosa. Había sido, desde sus primeros veinte, la reina indiscutible de la telenovela nacional. Había protagonizado miles de culebrones, había triunfado en el exterior, actuando en una serie de películas en México y en Argentina. Todas las mujeres se preguntaban siempre cuál era su secreto, cómo podía permanecer tan bella y tan joven siempre, desafiando al tiempo. En aquellos años, la cirugía plástica aún era una exótica experimentación, todavía no se había convertido en una industria. Laura Solieri era delgada, blanca, se pintaba el cabello de castaño rojizo, tenía una cintura dramática, mínima, alrededor de la cual giraban unas caderas perfectas y se alzaban un par de senos como manzanas. Nunca había tenido hijos. Según alguna de sus actrices rivales, eso era una ventaja definitiva, su pacto con el diablo: había renunciado a su condición de madre a cambio de la eterna juventud. Ella nunca hablaba del tema. Siempre lo minimizaba, como si en realidad fuera casi una casualidad, como si no fuera algo que le preocupara. Comentaba que comía mucha fruta, que bebía mucha agua, que caminaba mucho. «Pero nunca me privo de nada», decía con cierta entonación sugestiva, como si soterradamente se estuviera insinuando.

Yo trabajé con ella en *La pasión de la luna,* una historia de una madre y una hija que, sin saber su relación filial, pelean por el mismo hombre. Las primeras grabaciones las hicimos en Maracaibo, el canal quería que fuera algo moderno y distinto. El protagonista era un ingeniero que trabajaba en la perforación de pozos, en la industria petrolera. El director me pidió que lo acompañara, durante la primera semana, sobre todo en atención a Laura Solieri, que ya era una leyenda a quien debíamos dar un trato especial. Así lo hice. Yo estaba en mi etapa de éxito, mis años dorados. Me sentía parte del *jet set* local, del exclusivo club de la farándula criolla. Laura Solieri me pareció una mujer tan espectacular como idiota. Ciertamente, era muy hermosa, se mantenía muy bien, pero era brutísima. Hablaba todo el tiempo de sí misma, pero como si ya no fuera ella misma; hablaba todo el tiempo de ese divino personaje llamado Laura Solieri. No tenía otro tema. No tenía otra vida.

Entran a la casa, recorren los espacios, observan todo con cuidado. Quevedo no puede ocultarlo: está orondo. Muestra cada detalle, destaca los esfuerzos técnicos, pondera el trabajo de ambientación. Cuando están en la sala, resalta la disposición del espacio y los muebles. Hay dos sofás de cuero, uno de ellos con forma de ele, que permitirán que todos los concursantes se reúnan. El color de los muebles, marrón caoba, combina calculadamente con el suave blanco perla de las paredes. Nada se escapa de la paleta de colores diseñada por el mejor escenógrafo del canal. Izquierdo observa, escucha, asiente; rara vez pregunta algo. Partiendo del formato de este tipo de programa, se han dispuesto tres habitaciones, de manera de contar con tres espacios distintos, con posibilidades de acciones dramáticas en cada uno de ellos. En el más grande, dormirán los tres participantes masculinos. Los otros dos se repartirán entre las cuatro mujeres concursantes. La idea es que, según se vayan desarrollando los conflictos, los concursantes puedan ir rotando, cambiándose de habitación.

–Una de las leyes de la telenovela –dijo Izquierdo alguna vez, cuando estaban reunidos, discutiendo sobre los diversos espacios de la casa– sostiene que, cuando los personajes están bien y tienen una relación de armonía y felicidad, hay que mantenerlos separados. Y, por el contrario, cuando los personajes se odian, tenemos que ponerlos cerca, encerrados en el mismo lugar, obligados a estar juntos todo el tiempo.

Cada habitación cuenta con su propio baño. Están unidas por un pasillo largo que se comunica con la sala, el comedor y con un pequeño rellano que da, por un lado, a la cocina y, por el otro, al patio y a la piscina. Junto a la cocina, se ha mantenido un cuarto de servicio. Es una recámara pequeña, con una cama individual. Siempre es conveniente tener un espacio así. Para alguna aventura amorosa. Para que dos personajes se encuentren bajo la luz tenue del refrigerador y terminen excitados, haciendo el amor en ese espacio. Eso piensa Quevedo, mientras, con una picardía casi infantil, muestra dónde se ocultan las cámaras que registrarán cualquier cosa que ocurra en ese espacio. La experiencia dicta que, en este tipo de programas, al principio, los participantes suelen estar muy pendientes de las cámaras, saben que están siendo filmados y permanecen atentos a ello. Pero, a medida que pasan los días, esa actitud de alerta va cediendo, termina vencida por el tiempo. Se acostumbran. Es un proceso inquebrantable. Nunca falla. La sobrevivencia no necesariamente es una virtud, una valiente audacia. También puede ser una disposición admirable para el sometimiento, para la humillación. ¿Qué es realmente lo último que se pierde? ¿La esperanza o el orgullo?

Dicen que estaba dormido y me desmayé. Suena raro. Pero de pronto así fue. A veces pasan cosas raras. Se han visto casos. Pero yo no recuerdo nada. O lo que recuerdo no sirve de nada, más bien. Yo me quedé en casa de Moncho, esperando que parara un poco la lluvia. Estábamos ahí, bebiendo cerveza. Iban a llamar a Toño para montar una partida de dominó. Estábamos en eso cuando se fue la luz. Se fue la luz y se fue todo. Yo no recuerdo más. Dicen que se vino un derrumbe. No saben ni cómo me sacaron ni quién me trajo a la emergencia. Tenía un golpe en la cabeza, uno en la espalda y este tajo en la pierna. Me cogieron cuarenta y siete puntos en total.

(...)

Del hospital me sacaron rápido. Estábamos de a tres en una cama. Ahí no cabía más nadie. Entonces me mandaron para el refugio. Pero ahí yo no conocía a nadie. Era pura gente de otros barrios, de otros lados. Yo no tenía nada. Ni cédula, ni camisa, ni reloj. Nada de nada. Estaba con una ropa y unas chancletas que me dieron en el hospital. Un soldado me dijo que si le daba plata, él me podía poner en otro refugio. Otro soldado me prestó un teléfono.

Ficha # 6
Nombre y apellido: Francisco Maneiro.
Lugar de nacimiento: La Asunción, isla de Margarita.
Edad: 28 años.
Ocupación: herrero.
Estado civil: soltero.
Número de hijos: no tiene.

Al tercer día en el archivo, me harté de estar buscando a una estrella de hace cuarenta años, de la que el canal tuviera algún material que pudiéramos usar en nuestro nuevo programa. Cada vez que le presentaba una propuesta al señor Quevedo, el señor Quevedo me decía sigue buscando. Sólo así. Sigue buscando, Pablito. Seguro que consigues algo mejor. Mi mamá me dijo que aprovechara, que quizás, entre todas esas antigüedades, conseguía alguna cinta donde aparecía mi papá. Quizás había material de apoyo, o algún registro de una filmación, de una fiesta corporativa, donde podría aparecer el loco Manzanares. Ni siquiera lo intenté. El archivo es un depósito enorme donde aún queda material que no ha sido todavía digitalizado por el canal. En ese lugar, cualquiera se deprime. Todo da tristeza. Es como entrar a otro país, a un país de antes, que ya está muerto.

Me sentía preso y comencé a trabajar para pelearme con el aburrimiento. Hacía cualquier cosa. Una tarde, sacando del fondo de unos baúles unas cajas, de pronto encontré varías cintas viejas de VHS. Sobre una de esas cintas estaba pegada una etiqueta adhesiva con un nombre. Dos palabras escritas que de repente brillaron en mitad del polvo: Beatriz Centeno. Con la ayuda de un técnico, después de varios intentos, por fin pude sentarme y ver la cinta. Tenía varias escenas de la misma telenovela: *Corazón ajeno*. La calidad de la película, la textura, el color, la nitidez, es como un reloj, también sirve para medir el tiempo. La imagen parecía estar llena de arena. Pero, aun así, Beatriz Centeno lucía espectacular.

Una noche, en Maracaibo, me quedé bebiendo y metiéndome unas rayas con un asistente, un muchacho llamado Willy o Ralfi, ya no recuerdo. Normalmente, todas las estrellas tienen por lo menos un asistente. Suele ser un muchacho gay, que igual lleva su agenda de llamados con la producción o sus relaciones con la prensa, que sus citas personales con la manicurista o se hace cargo de los pagos de los servicios en sus viviendas familiares. Esa noche, el asistente de Laura Solieri me reveló su gran secreto. Todas las noches, antes de despedirse, la actriz le pedía que le amarrara las manos a la cama. Pensaba que, mientras dormía, su angustioso inconsciente, poco atento a los cuidados estéticos, la empujaba a restregarse las manos contra su cara, arruinando su piel, noche tras noche, en una tarea constante e implacable. «No te lo creo», le dije. «¿Quieres apostar?», creo que me preguntó. Y por eso pude entrar a la habitación de Laura Solieri. El asistente tenía una llave del cuarto y quería ganar una apuesta. Él dormía a pocas calles, en un hotel más barato, pero, por si alguna emergencia, cargaba encima una copia de la llave de la habitación donde dormía la diva. Cuando subíamos por el ascensor, me dijo que quería ser actor, me pidió que le escribiera un papel pequeño en la novela. Le dije que sí, por supuesto. La habitación estaba a oscuras y sólo se oía la respiración lejana del aparato de aire acondicionado. Nos acercamos poco a poco, de puntillas. Ahí estaba. Laura Solieri. Vestía una batica sencilla, que sin embargo dejaba ver un pedazo de sus nalgas y la mitad de su seno izquierdo. Estaba atada, con unas cintas de color verde, al respaldo de la cama. Tenía la cara llena de crema y el pelo sujetado con unas pinzas. La imagen me produjo una inmensa melancolía. Era un aviso.

Ahora están y no están en la misma casa. La ven desde la cabina del director, en una unidad móvil, aparcada frente al inmueble. Pero es como si estuvieran adentro, en ella. La ocupan. En el interior de la unidad móvil, junto al panel de control desde donde trabaja el director, están sentados Izquierdo y Quevedo, observando los diferentes monitores que dan cuenta de lo que filma cada cámara. Quevedo continúa jactándose del despliegue técnico, del número y la calidad de todos los dispositivos, nunca antes el canal ha realizado una inversión de ese tipo en un proyecto nuevo.

–Estamos haciendo historia. –No dice la frase, pero la frase está ahí, danzando suavemente entre los dos.

El libretista no dice nada. Ha permanecido siempre fiel a esa misma actitud. Tiene más dudas que certezas. Izquierdo repite que están traicionando un formato, que en rigor lo que comenzarán a grabar en pocos días no es ni un *reality show* ni tampoco una telenovela. Los protagonistas son y no son actores, son y no son personas de la vida real, son y no son personajes de ficción.

–La televisión no tolera las ambigüedades –insiste.

Y Quevedo, a estas alturas, tampoco. No quiere escuchar esos comentarios. Ya están demasiado cerca de la fecha de salida al aire. A esta altura, nadie quiere oír un cuestionamiento, una voz insegura; sólo se requieren aplausos, gritos de entusiasmo, pura esperanza.

Imagíname así: solito, porque ya era tarde, se había ido todo el mundo; metido en ese sótano, con un frío del séptimo carajo, sentado en una sillita de metal, mirando una telenovela de hace años. Así estaba yo contándole a Randy. Era un poco antes del taller. La tipa es una maravilla, le dije. Y es buena actriz. ¿Me trajiste la cinta?, me preguntó. Yo se la mostré, la saqué de mi morral, pero ni tuve tiempo de decirle nada. Al fondo, por el pasillo, venía

Emiliana. Pero no venía sola. La silueta que estaba a su lado se me fue haciendo nítida, lamentablemente nítida: alto, demasiado alto. Un bigote. Sí, carajo, un bigote. Malditos dientes de neón.

Hoy anoté algo de Paul Valéry que el profesor citó en la clase: «Dios ha hecho todo de la nada. Pero la nada persiste.» Así me siento yo. Todo es todo. Emiliana, Vivian, la Escuela, el canal... Lo demás soy yo. Esta persistencia.

Están reunidos en la oficina de Quevedo. Ajustan los últimos detalles. Hay que decidir el nombre, hay que revisar las promociones, hay que escuchar de nuevo el tema musical... Pero comienzan a discutir y terminan peleándose. Todo se inicia en un breve comentario.

–Sólo vamos a pasar una hora cada día. –Quevedo está exponiendo el plan definitivo que ha acordado con el Comité de Programación–. A las nueve de la noche. En *prime time.* Una simple hora, editada, posproducida por nosotros. Por internet vamos a ofrecer la versión completa, por si hay algún desquiciado que quiera seguir la filmación durante las veinticuatro horas del día.

–Nadie se va a creer eso. –Izquierdo suelta las seis palabras con absoluta naturalidad, sin mayor énfasis.

Pero Quevedo voltea y lo mira. Es evidente que está irritado. Las venas del cuello parecen gusanos que laten debajo de la piel. Enrojece. Quevedo está harto. Pero el libretista tampoco parece amilanarse ante esa reacción. Yergue su cuerpo y le sostiene la mirada, desafiándolo. Izquierdo está harto. A medida que hablan, dejan de hablar, gritan. El joven Manzanares ya no puede hacer nada. Las palabras estallan a su alrededor.

–¡Cada vez que nos vemos te tengo que convencer de que el programa vale la pena, de que todo va a salir bien!

–¡Sólo te estoy diciendo lo que pienso!

–¡Lo que piensas siempre es lo mismo, siempre es negativo! ¡Lo que piensas es que esto es una mierda, que vamos a fracasar! Si es así, entonces ya está, ¡no me lo digas!

–¡Coño, Manuel! ¡Tú no eres ciego! ¡Tú sabes perfectamente que esto tiene muchos riesgos!

–¡Todo tiene muchos riesgos!

–¡No me jodas! ¡Sabes de qué estoy hablando! ¡Esto es un gran riesgo!

–¿Y cómo crees que se gana el *rating*? ¿Sin riesgos? –Quevedo jala el nudo de su corbata–. Además, ¡eso lo sabías desde el principio!

–¡Y desde el principio te dije que esto era una locura! ¡Nos estamos aprovechando de la miseria de esta gente, la estamos utilizando, nos puede salir el tiro por la culata!

–¿Y desde cuándo carajo a ti te preocupa la miseria de la gente, ah? –Quevedo se mueve, inquieto, apenas puede dar un paso hacia adelante y otro hacia atrás. Está sudando. No sabe qué hacer con los gestos. Chasquea la lengua varias veces. Finalmente lo mira, torvo; habla con una rara ronquera.

–¿Tú, Manuel, me vas a dar clases de moral? ¿Por qué, mejor, no vas y resuelves tu historia con Beatriz?

La pregunta es un dardo que rasga el sopor ocre de la tarde.

Por un instante, Izquierdo luce sorprendido. Luego se desinfla. Como si lo hubieran pinchado. Como si el dardo efectivamente lo hubiera alcanzado. Es obvio que ha recibido un golpe que no esperaba. Parece a punto de decir algo que, finalmente, detiene con sus labios, cerrando la boca. Se arrepiente. Luego arma una mueca, un garabato incomprensible sobre su cara. Los tres, de pronto, tienen la lengua seca. Quevedo mira hacia la pared que está llena de fotografías. Pablo no sabe muy bien dónde poner los ojos. Tras unos segundos, el escritor se va.

Quizás, después de todo, este ejercicio no haya sido todo lo saludable que yo esperaba. Cada vez más, se me antoja menos venir y sentarme aquí para escribir más y más sobre mí mismo. La computadora se me ha vuelto un espejo insoportable. Ya tengo cincuenta y ya no sé si me agrada tanto recordar. O tal vez ya me gasté los recuerdos que me gustan, ya no puedo seguir evitándome y, por lo tanto, ya no me entusiasma tanto hacer memoria, tocar aquello que no puedo cambiar, aquello de lo que no me salvaré ni siquiera escribiéndolo.

La conocí un jueves. Yo estaba en la oficina de Irene Cepeda, la productora ejecutiva de *Corazones ajenos,* lo que sería mi próxima novela. Estábamos en el proceso de *casting* y de selección de decorados y de locaciones. Ella llegó con una carpeta con su currículo. No tenía agente. Venía entusiasmada de un ensayo de una obra de teatro. «Beatriz Centeno», se presentó. Me saludó con la mano, no con un beso. En ese momento quise recordarle que hacía años, en mi primer día de trabajo, ya nos habían presentado. Por suerte no lo hice. Beatriz ni siquiera sonrió cuando supo que yo era el autor de la telenovela. Yo acababa de divorciarme y no quería enredos afectivos en mi vida. Transcurrió toda la telenovela sin que cruzáramos una sola palabra. Jamás la casualidad nos dio el chance de encontrarnos en el canal. Las veces que pasé por el estudio para hablar con el director, ella no tenía llamado, no estaba ahí. Ninguno de los dos procuró verse. No así, en vivo y directo. Porque sí empezamos a tener una sutil relación a través de los libretos y de la pantalla. Yo la veía cada noche y cada noche me gustaba más. Sin traicionar al personaje, sin darle más importancia de la que ya tenía, fui llenando sus parlamentos, y las acotaciones a sus acciones y énfasis dramáticos, de guiños diminutos, de mensajes cifrados que, después, veía, o al menos creía ver, respondidos en la pantalla. Iniciamos un discreto y elegante diálogo, desarrollado a partir de palabras mínimas, de gestos imperceptibles, de formas que para cualquier otro no significaban nada pero que, para nosotros dos, eran ya una complicidad.

La noche en que se transmitió el último capítulo de la novela, en una fiesta que organizó el canal, me aproximé a ella. Fue al final. La saludé con un gesto, nada más. Sonreímos. Le pregunté si tenía carro, me dijo que sí. A mí no me importó dejar mi automóvil allá, le dije que andaba a pie, que si podía acercarme a mi casa. Me dijo que sí. En el mismo estacionamiento del canal, sin preaviso, la besé.

Pasamos unos meses extraordinarios, hasta que llegó la noche del escándalo. Todo fue culpa de un policía que había sido nuestro proveedor de cocaína por un buen tiempo. Quiso cambiar de precio, dijimos que no, cambiamos de *dealer.* Por eso esa noche nos allanaron y nos detuvieron. Fue él mismo quien llevó adelante el operativo. «Jódanse, pendejos», dijo cuando nos iban sacando esposados.

Estábamos en la jaula, sentados, uno junto a otro. Yo estaba borracho, drogado, y muy aturdido con lo que estaba ocurriendo. Beatriz estaba a mi lado. Se puso a llorar. Tratando de pegarse a mí, apoyándose en mi hombro. Entonces me susurró algo al oído, algo que no pude escuchar, que no entendí. Las luces rojas daban vueltas. Alguien gritaba. Un fotógrafo todavía intentaba apuntarnos con su flash detrás de la rejilla de la camioneta. Beatriz volvió a decírmelo. «Estoy embarazada.» Yo no sé por qué, no sé qué pasó. Tuve un cortocircuito interior. Pero empecé a sentir una rabia inmensa, un ardor que se me desdoblaba adentro, en algún sótano del cuerpo. Sentí que estaba metido, atrapado, en una escena, en cualquier estúpida escena que yo podía haber escrito cualquier día, a cualquier hora, en cualquier estúpida telenovela. Y le dije entonces la frase. Estaba borracho y drogado. También tenía miedo. «Tú no vas a convertir mi vida en una telenovela.» Se lo dije.

15

Las cosas son así: Randy me llama y me dice ¿a que no adivinas? ¿A que no adivino qué?, le pregunto yo. Te vas a caer de culo, dice él. Tengo que contarte, también dice. Me hizo salir del canal, nos metimos en un café. Estaba alterado, eléctrico. Anoche, me contó, me vi con Chuleta, ¿recuerdas a Chuleta? Yo dije por supuesto. Su primo. Cigarro apagado en su boca, mucho dios en las bocinas de su carro. Total que nos ponemos a hablar, tú sabes, de cualquier pendejada, sigue Randy. Que si tal, que si cual, que si esto, lo otro. Y el tipo me pregunta por ti. Yo le digo que bien, Chuleta, Pablo está muy bien, el tipo trabaja en televisión, está en tremendo proyecto con Manuel Izquierdo. Y ahí ¡zuaz! ¿Zuaz? Sí, ¡zuaz!, Chuleta voltea, con los ojos muy abiertos, con la boca abierta, con la cabeza abierta. Se quedó frío. Yo tardé en entender. Pero el resumen es que Chuleta conoce a Izquierdo. O más bien: Chuleta conoció a Izquierdo. Fue justo Chuleta el policía que lo detuvo. Estuvo aquella noche en ese operativo. Tiene guardados unos recortes de periódico de esa noche, ¿te imaginas? Me dijo que te cuidaras, Pablo. Que estés pilas. Que ese tipo es una rata.

Amanecí de pronto, súbitamente, otra vez. Como si, al abrir los ojos, la madrugada me atajara en mitad de un salto al vacío. De nuevo, la luz verde del reloj digital titilaba, marcando las tres y cuarenta y siete de la mañana. Me senté sobre la cama y miré la almohada, las rayas sobre la funda, las huellas de mi cabeza tatuadas en un mapa incomprensible. El inconsciente es el descubrimiento más importante en la historia de la humanidad. Si pudiéramos leer las arrugas de las almohadas, nuestras vidas serían distintas. Al menos, nos ahorraríamos bastante Freud y algunas otras drogas. Hice café y me senté en el sofá de la sala. Puse los pies descalzos sobre la mesa de vidrio, abrí la ventana del balcón, una brisa fría se coló hacia el interior del apartamento. No sé por qué pero no encendí el computador. No sé qué me motivó a transgredir mi rutina. Sólo permanecí en esa posición, dejando que mis ojos se deslizaran sobre la biblioteca, repasando suavemente los lomos de los libros. Es un juego peligroso. A veces sé que leí tal o cual libro, pero no lo recuerdo, o lo recuerdo de manera muy vaga, en un apenas difuso. Aprieto los ojos, me esfuerzo durante unos segundos. Nada. Seguí mirándolos un rato. Pasé de un estante al otro. Hasta que de repente me tropecé con el marcapasos de mi madre. Afuera sonó la corneta de un carro. Pero yo sentí que sonaba una ambulancia.

Internet es el futuro pero no siempre es el pasado. Hay sucesos adonde la ciberinformación todavía no puede llegar. Una esquina pequeña de la nota roja de esta ciudad una noche de noviembre de hace muchos años, por ejemplo. Chuleta le dio a Randy los tres periódicos que reseñaron la noticia y un semanario dedicado a la farándula, desaparecido en la década de los noventa, que también realizó un reportaje sobre lo ocurrido. El mejor, sin duda, era el trabajo del semanario. Lo firmaba la periodista Belkys Bustamante. Estaba pésimamente escrito pero era muy morboso. Hay un tipo de periodismo cuyo mayor talento es la mala leche. Así era ese semanario. Igualito. La policía había allanado el penthouse de un conocido productor de la tele. El allanamiento coincidió, justamente, con una fiestecita, así decía la nota, con un infaltable diminutivo, en la que participaban diversas personas de la alta farándula. Lo de alta también era un adjetivo de la periodista. Por puro joder. Porque inmediatamente después la reseña aseguraba que, en el operativo, la policía había encontrado una buena cantidad de cocaína. También decía que algunos de los participantes en la celebración estaban en paños menores o desnudos. Sugería la nota, además, que quizás se trataba de una orgía entre estrellas de la farándula local, quienes –y esta cita es textual– suelen tener algún tipo de prácticas sexuales aberradas o ajenas a la normalidad y a las buenas costumbres.

Randy leía en voz alta y se carcajeaba.

El reportaje también ofrecía fotos del registro policial, los clásicos retratos, tamaño carnet, donde los detenidos posan de frente y de perfil, con un número que los identifica en la parte de abajo. Manuel Izquierdo estaba todavía ido. Parecía que tuviera un pez dentro la boca. Beatriz Centeno salía menos frita. Daba la impresión de que tenía más conciencia de lo que estaba ocurriendo. Había algo en sus ojos. Es el miedo, dijo Randy.

–Sólo nos falta el nombre.

Lo dice el director del departamento de promociones. Viste una franela de algodón, color naranja, que lleva estampada delante la silueta de Andy Warhol. La combinación se completa con un blazer azul, unos pantalones de mezclilla y unos zapatos de deporte. Él y todo su equipo de creativos rodean a Quevedo, lo miran, expectantes. Sólo falta un nombre, un maldito nombre. La idea de que el programa se llamara *Segunda oportunidad* fue desechada muy pronto. Se asociaba rápidamente con una venta de segunda mano, con un aviso oportuno, con un clasificado de la prensa. Quevedo sin embargo no ha dejado de pensar, de buscar. Sabe que está cerca, que lo ronda, puede presentirlo, pero todavía no llega. Apenas aparezca, él lo reconocerá de inmediato. Tiene esa certeza. Nada de lo que le han propuesto hasta ahora le complace.

–Los sin techo –dijo alguien. Pero sonaba a movimiento político de izquierda.

–Tu próxima casa –sugirió otro. Pero fue rechazado de inmediato: parecía la promoción de una inmobiliaria.

Pablo Manzanares subrayó, además, que ya hay un sitio web que tiene ese nombre.

–Construyendo sueños –fue la propuesta de uno de los viejos asesores del canal.

Obtuvo una votación dividida. Tuvo cierta aprobación pero también muchas críticas. Lo tacharon de típico, formal, sin *punch*.

–La casa de todos –fue el título que se le ocurrió al gerente general.

Nadie le hizo mucho caso. Está de salida. Todo lo que dice o propone ya tiene el manto invisible del caído. Hubo quien puso a rodar un comentario cínico, señalando que ese nombre era tan aburrido que parecía una propaganda gubernamental.

–Sin cuota inicial –otra propuesta del departamento creativo.

Alguien dijo que el nombre tenía audacia. Otro alguien destacó que era un nombre que se prestaba a confusiones. Tal vez la gente podría pensar que el premio era incompleto, que los concursantes estarían obligados, después, a pagar algunas cuotas. Hay que tener mucho cuidado con las suspicacias de la audiencia, advirtió el director de mercadeo.

Cada día, Quevedo tenía una nueva lista de posibilidades sobre su escritorio. Cuando se atrevió a consultarle a Izquierdo, el libretista le mando un correo electrónico con una sola frase: el milagro de la lluvia.

–Yo sabía que algo así podría pasar –dice, mientras se remueve sobre su silla. Pablo acaba de llegar y se mantiene de pie del otro lado del escritorio–. ¿Te parece seria esa respuesta? ¿El milagro de la lluvia? ¡Se está burlando de mí! ¡Se está burlando de todo!

Quevedo le pide al joven que se siente, mientras él se incorpora. No soporta las simetrías. Da zancadas por la oficina, mira las fotos, junta y separa sus manos varias veces.

–Yo lo sabía –masculla, casi como si hablara consigo mismo–. Izquierdo ya no es el mismo. Se ha vuelto blandengue. Para todo tiene un pero, una crítica, un por qué.

Pablo no sabe cómo reaccionar. Permanece sentado con cara de circunstancias, sin ninguna definición. Quevedo gira y lo observa, como si pensara en algo que tuviera que ver con él, con su vida. Lo mira tan fijamente que Pablo comienza a intimidarse, a sentirse culpable de algo. El vicepresidente se acerca.

–Necesitamos ese nombre ya, Pablito. Tiene que ser algo directo, afectivo, aspiracional... ¿Comprendes?

Y pone su rostro frente al rostro del muchacho. Y se queda un instante así, suspendido. Pablo duda, nervioso. Quevedo ladea un poco la cabeza. Como si esperara que de la boca de su asistente saliera un conejo.

–Yo –Pablo se tambalea sobre cada letra, chapotea sobre demasiados puntos suspensivos–... Yo... Yo quiero... –Quevedo abre más los ojos, estira el cuello, cada vez espera más–. ¡Yo quiero un hogar! –suspira, exhala, suda finalmente el muchacho la frase completa.

Su jefe ni se mueve. Cualquiera podría pensar que está decantando internamente cada palabra. Oyéndolas dos veces, tres veces, cuarto, hasta que poco a poco comienza a sonreír, comienza a llenarse de un ánimo febril, vuelve a caminar, repite el nombre de varias maneras, en distintos tonos; mueve las manos, imita, finge, casi grita, perifonea, musicaliza, lo parte en sílabas, lo estruja, lo estira, lo soba: ¡tenemos nombre! Eso dice al teléfono.

–¡Tenemos nombre! –repite, apretando el auricular, en la quinta llamada seguida que hace–. Yo sabía que estaba cerca, que iba a aparecer. ¡Se me acaba de ocurrir! Aquí mismo, ahora, en la oficina ¿Estás preparado? Agárrate –hace una pausa, administra la tensión, antes de descargar la frase completa, de golpe–. ¡Yo quiero un hogar! ¿Qué te parece?

PROGRAMA: «YO QUIERO UN HOGAR»
CAMPAÑA DE INTRIGA
PIEZA # 1

SOBRE UN FONDO NEGRO, COMO SI VINIÉRAMOS DE UNA DISOLVENCIA:

AUDIO: SONIDO DE LLUVIA.

LA IMAGEN SE VA ACLARANDO LENTAMENTE HASTA QUE VEMOS A YUBIRÍ GARCÍA, EMPAPADA, EN LA CALLE DE UN BARRIO, EN MEDIO DE DERRUMBES... VEMOS LA ANGUSTIA EN SU CARA...

AUDIO: SUBE MÚSICA DE TENSIÓN QUE IDENTIFICARÁ EL PROGRAMA.

SE CONGELA LA IMAGEN DE REPENTE.

LOCUTOR:
Se llama Yubirí García... Vivía en Caracas... hasta que llegaron las lluvias.
Se quedó sin nada...

SE DESCONGELA LA IMAGEN Y YUBIRÍ SIGUE CAMINANDO HACIA LA CÁMARA, COMO SI FUERA SU RUTA NATURAL... HASTA QUE PAREZCA QUE CHOCA CON ELLA, PERO CON UN EFECTO LA PANTALLA SE ILUMINA, SE ENCANDILA CON UNA LUZ QUE NOS LLEVA ENTONCES A:

LA ESPALDA DE YUBIRÍ FRENTE A LA FACHADA DE LA CASA DEL PROGRAMA. UNA CASA GRANDE, RECIÉN PINTADA, CON JARDÍN.

TODO DEBE LUCIR LLENO DE LUZ, MUY CLARO... YUBIRÍ SE DETIENE FRENTE A LA PUERTA PRINCIPAL Y VOLTEA Y MIRA A CÁMARA. SIGUE SERIA, PERO TIENE MÁS CARA DE DESAFÍO, DE LUCHA...

LOCUTOR (CON MAYOR ÉNFASIS):
Lo perdió todo... ¡Menos la esperanza!

YUBIRÍ ENTRA A LA CASA Y CIERRA LA PUERTA...

DESDE EL FONDO DE LA PANTALLA, VIENE CRECIENDO EL GENERADOR DE CARACTERES: «YO QUIERO UN HOGAR»

AUDIO: LA MÚSICA EN ALTO.

LOCUTOR: ¡Muy pronto! ¡Por su canal!

Desde que el señor Quevedo habló con ella, Vivian dejó de contestarme el teléfono. Le dejé mensajes en su casa, en su teléfono celular. Fui a buscarla una tarde, esperé junto a la reja del edificio durante dos horas. Hasta que una vez, supongo que harta, me atendió.

Qué quieres, me preguntó, sin decir hola, sin saludar.

Te he estado llamando, te he dejado varios mensajes.

Sí, lo sé. Los oí. Más que hablar, parecía que estaba escupiendo secamente las palabras.

Estoy muy ocupada, ensayando. Cuando me desocupe te llamo.

Y colgó. Yo sentí que el verbo desocupar se me quedó un rato paseando dentro del oído. Cuando me desocupe, dijo Vivian. Eso no tenía tiempo definido. Eso podía ser eterno, para siempre. ¿En qué momento uno no está ocupado en algo?

Randy me dijo que era obvio. Lo intentó conmigo mientras le fui útil. Me utilizó hasta que consiguió a alguien que estaba más arriba. Está escalando, dijo Randy. Yo recordé a Izquierdo y todas sus enseñanzas.

–Actor no es gente –dice, mientras con un dedo intenta hacer girar el aspa de un viejo ventilador que reposa en uno de los estantes de la biblioteca.

El sol de las cinco de la tarde cae desde el balcón y los aplasta contra la mesa. No hay manera de huir.

–Actor es perro que necesita dueño –insiste el libretista–. Eso repetía siempre González Landó –añade.

El joven se mantiene en silencio con los dedos suspendidos sobre el teclado de su computadora portátil. Han seguido trabajando, semana tras semanas, a un ritmo cada vez más apremiante. A medida que se acercan a la fecha del estreno, la presión y los nervios se van crispando más. Quevedo los llama cada media hora. Pregunta, informa, consulta, ordena, expresa su adrenalina estrujando el abecedario.

–Ya lo verás. Muy pronto, todos estos concursantes van a comenzar a contagiarse, van a comenzar a comportarse como Vivian Quiroz. En menos de dos semanas, todos van a creer que son actores. La vanidad se contagia más rápido que la influenza.

Izquierdo habla de los extras. Piensa que ése puede ser el mejor modelo de lo que va a ocurrir. Dice que los extras también son un clásico. Se creen actores, aspiran a serlo, pero al final sólo logran ser un simple relleno en el reparto. Son un festival de resentimientos. Pasan la vida humillándose ante los escritores, ante los productores, antes los directores, ante cualquiera que pueda conseguirles un papel, y terminan frustrados, odiándose por haber ensuciado su propio orgullo de esa manera, sin otro resplandor que ser enfermera número cinco, policía siete, mesonero cuatro..., personajes sin nombre, de paso, que con suerte, a veces, consiguen apenas decir un pobre parlamento en alguna escena: «buenos días», «¿puedo ayudarle en algo?», «¿a quién está buscando?». Nada más. No son nada más.

–Una vez me abordó uno, en el estacionamiento, y me dijo: «Yo trabajé con Rafael Zapata en *La mujer prohibida.*»

Izquierdo se apoya en su biblioteca, hace una pausa, como si la faena de recordar le exigiera más tiempo.

–En esos años –continúa el libretista– Rafael Zapata estaba triunfando en España, había dejado de ser un actor del patio para convertirse en un ídolo internacional.

–Y el tipo era... –Pablo deja rodar los tres puntos suspensivos, esperando el final de la anécdota.

–Fíjate lo que me dijo: «Fui su tercer guardaespaldas durante sesenta y dos capítulos.» ¿Qué te parece?

Izquierdo piensa que sólo hay una cosa peor que los actores y las actrices: los extras. Me contó de uno que, cuando se enteró de que preparaban una serie ambientada en la selva amazónica, se disfrazó de indígena y se puso a esperar al escritor a las puertas del canal. Otra, una vez, se desnudó frente a él en una oficina para mostrar sus atributos y probar que era la más apta para un papel que estaba disponible. Otro más se ofrecía como mensajero de los libretistas, para hacer pequeñas diligencias como ir a pagar la luz o el teléfono a cambio de algún papel menor en la teleculebra de turno. Tiene miles de cuentos. Cuando trabajábamos en su casa y se ponía a hablar, a veces me provocaba grabarlo. Creo que él sospecha que yo tuve algo con Vivian. O al menos lo intuye. Me ha lanzado alguna que otra frase, como dándome chance para que yo le diga algo, buscando una complicidad, pero yo las esquivo, me hago el loco. Me preguntó cómo me había ido con ella, qué tal el trabajo. Yo no le di detalles. No confíes nunca en una actriz, me volvió a repetir. Y yo pensé de inmediato en Beatriz Centeno. La recordé en el video, actuando; la recordé también nuevamente en la foto del periódico; la vi pasar en las páginas del semanario que nos dio Chuleta. Después de aquel suceso, desapareció completamente del mapa. Se esfumó. Se la tragó la tierra.

No me aguanté. Lo tenía ahí, delante, en su casa, hablando de actrices, con una malicia en la mirada, intentando averiguar si yo había tenido algo con Vivian Quiroz. Me fui embalado, directo, a quemarropa: ¿y tú jamás te enredaste con una actriz?, le pregunté. Él se quedó en silencio durante unos segundos. Me miró como si calculara si debíamos o no tomarnos un vodka, hasta que finalmente desistió y sólo me dijo no. Que no. Jamás. Ni de vaina. Luego me contó que se había casado una vez, con una mujer que no trabajaba en la televisión. Nada que ver, repitió. He salido con muchas tipas, viví con otras dos, en dos oportunidades distintas, pero nada más, también me dijo. ¿Nunca tuviste hijos? Sentí que la pregunta era una piedra. Por la expresión que puso. Era evidente que estaba incómodo, molesto. Me miró con un reclamo. Yo de inmediato miré hacia otro lado. Recorrí con las pupilas su biblioteca, disimulando. Hasta que de pronto mis ojos tropezaron con el marcapasos.

La noche en que murió mi madre me tocó a mí hacer guardia en la clínica. Era un viernes. Mi hermana y mi cuñado tenían una boda. Mamá estaba en la tercera semana del tratamiento de quimioterapia en contra de la leucemia. Su cuerpo había resistido bastante bien todo el proceso, aunque ya el médico nos había advertido que, precisamente, la tercera semana era la más peligrosa, la semana en que los efectos del tratamiento sobre el organismo podían ser letales. Así fue. Llevaba diecisiete días hospitalizada cuando comenzaron las complicaciones graves.

Mi madre todavía no salía de su estupor, no había podido superar la sorpresa. Era una mujer joven, apenas tenía sesenta años. Siempre había sido muy sana, jamás se había excedido en nada. Cumplía con cualquier receta o consejo de salud que escuchara o leyera. Bebía dos vasos de agua, en ayunas, cada mañana. No tomaba café desde hacía años. Desayunaba fuerte, comía con ponderación al mediodía, cenaba de manera frugal. Consumía mucho pescado y poca carne. Camarones, rara vez, porque suben el colesterol. Quesos, muy poco. Y si son madurados, menos. La lactosa es fatal para el organismo. Mucha fruta, siempre variada, sin combinar las dulces con las ácidas; muchos vegetales, brócoli en cantidades: es magnífico para combatir el cáncer. Lechugas, con moderación. Afectan al colon. Lo mismo pasa con los granos. ¿Alcohol? Si acaso una copa de vino en ocasiones muy especiales. Siempre se mantuvo flaca. Caminaba, por lo menos, una hora cada día. Nunca fumó un cigarrillo. Cada diez meses se hacía todos los exámenes clínicos. Su único problema fue el corazón. Hacía unos años, había sufrido una arritmia, tuvo un par de desmayos, pero con el marcapasos todo se solucionó. Nada más. Del resto, su salud era de acero inoxidable. Había hecho todo lo que le habían dicho. Había hecho lo correcto. Siempre. ¿Por qué entonces se encontraba en esa situación, sometida bajo el peso de la palabra enfermedad? ¿Por qué entonces se encontraba prisionera en esa cama de hospital?

Cuando logró aceptar la sorpresa, no digerirla pero al menos comenzar a tolerarla, se deprimió. Una desazón inmensa y profunda se instaló dentro de ella, hasta terminar convirtiéndose en una certeza tristísima, fatal. Asumió que había llegado a su fin. «Yo sé que de ésta no voy a salir», me dijo una vez. Eran las cuatro de la tarde. Lo único interesante que transmitía la televisión era la final de un torneo de tenis. Dos gigantes se batían duramente sobre la arcilla. El sonido de la pelota, rebotando, era nuestra única música de fondo.

Muchas veces he lamentado el optimismo que tuve en aquellos momentos. Yo apenas rondaba los treinta años. Creía que todos éramos inmortales. Jamás imaginé que podíamos ser tan vulnerables, que la muerte podía darnos una zancadilla tan inesperada como definitiva, final. A veces, confundimos el optimismo con la salud.

Mamá se sintió mareada una mañana y fue a hacerse unos exámenes de sangre. Lo que en apariencia era una prueba de rutina, terminó convirtiéndose en una emergencia. En la tarde, cuando fue a buscar los resultados, en el laboratorio le dijeron que debía consultar a un médico de inmediato. Todos los valores estaban alterados. Mamá llamó por teléfono a Eugenia, Eugenia me llamó a mí, fuimos juntos a la clínica. Esa misma tarde la hospitalizaron. Al día siguiente nos dieron el diagnóstico. La palabra leucemia cayó sobre nosotros como una lápida. A medida que fueron pasando los días, mi madre fue apagándose, como si lentamente la fuera raptando una profunda resignación. Yo intentaba animarla, como si la esperanza dependiera de la voluntad, como si mi terquedad fuera un poder sobrenatural. La obligaba a comer, a mirar la televisión, a conversar. Ahora pienso que lo hacía más por mí que por ella. Estaba desesperado por verla viva, feliz, optimista. Era absurdo: ella se estaba muriendo.

Nuestro momento más terrible fue la tarde en que tuve que bañarla. Ya estaba muy débil, mi hermana había tenido un inconveniente y estaba en el colegio de su hija. Mamá debía bañarse y no podía hacerlo sola. Desnuda conmigo, bajo la ducha, se puso a llorar. Creo que eso fue lo peor de su enfermedad, lo que más le dolió.

Parecen hámsters. Eso es lo primero que se le viene a la cabeza. Ésa es la imagen: siete pequeños roedores blancos, nerviosos, asustados. Parece que los acaban de sacar de una jaula, o de una caja de cartón, para depositarlos sobre un frío y reluciente mostrador de metal. El sonido de las cámaras de fotos y los fogonazos de los flashes los detienen, los hacen retroceder. En realidad, no retroceden, pero mueven sus cuerpos hacia atrás como si lo hicieran, como si quisieran retraerse, fugarse. Izquierdo observa la rueda de prensa a través de un monitor, en la oficina de Quevedo. Los participantes de *Yo quiero un hogar* están unos pisos más abajo, en planta baja, en la sala de eventos especiales, enfrentando su primera prueba: la prensa. Han dispuesto a los siete en una mesa larga. De pie, con un micrófono en la mano, está Cintya Jiménez, una periodista del canal, con muy buena imagen y gran credibilidad entre la audiencia. Es una mujer menuda, cercana a los cuarenta años. No derrocha sensualidad ni es especialmente bonita, pero tiene telegenia. Posee una voz algo ronca, que crea de inmediato un peculiar clima de intimidad con cualquiera de sus interlocutores. Tiene años en el oficio. Es, sin duda, una garantía a la hora de controlar lo inesperado, de reaccionar ante cualquier sorpresa. Ella también será la conductora del *reality,* esa voz de la conciencia en medio de la casa, ese vínculo con el público, esa suerte de árbitro en la competencia.

Pero quien presenta el proyecto es, por supuesto, Rafael Quevedo. Éste su gran momento. Viste de traje gris, un corte elegante, la corbata es azul oscura, con pequeños rombos también grisáceos. Detrás de él, a un costado, está Pablo Manzanares. Izquierdo desdobla una sonrisa no exenta de cinismo apenas lo observa. El joven también viste de traje, también lleva corbata.

–Me moriré en París con aguacero –murmura Izquierdo.

La vi, le dije hola y, para mi sorpresa, me saludó con una sonrisa. Yo quedé tan desconcertado, no supe cómo reaccionar. Había pensado en mil cosas posibles pero no en que Vivian me saludara así, como si nada. Yo la miraba con cara de reclamo, de estoy dolido, con cara de me mandaste al carajo, pero ella ni se dio por aludida. Sonrió, como si fuera un amigo. Aunque no lo creas, estoy un poco nerviosa, me dijo. Yo le dije: yo también. Y ella me miró como diciendo no te compares. Me hizo sentir que en ese momento ella era la estrella, que su nerviosismo era el nerviosismo importante, el nerviosismo que iba a dar la cara. Pareces otro, también me dijo. Eso es porque yo andaba con flux y corbata. Fui con Randy a comprármelo. Fue el mismo señor Quevedo el que me dijo que me fuera a comprar un traje nuevo. No vayas a venir con esa pinta de estudiante que traes siempre, me dijo.

Antes de que todos los participantes salieran a sentarse en la mesa donde sería la rueda de prensa, el señor Quevedo me pidió que lo acompañara. Nos reunimos con todos ellos. Ahí estaban, vestidos con sus ropas de diario. La idea era que salieran de ahí directo para la casa. De hecho, estaba planeado que una unidad móvil filmara todo el proceso. Darían su rueda de prensa y saldrían a la calle. Distintos grupos de familiares los estarían despidiendo, con improvisadas pancartas, con alguna flor, con un animal de peluche entregado a última hora, en medio de un abrazo. Se montarían en un pequeño autobús, identificado con el logo del programa y una foto de todos ellos, y partirían hacia la casa.

El programa comienza aquí, ahora, les dijo el señor Quevedo.

Y entonces me nombró. Y lo dijo bien, además. Dijo Pablo, no Pablito. Por primera vez me quitó el diminutivo. Sentí que me graduaba de algo. Dijo éste es Pablo Manzanares, algunos de ustedes ya lo conocen, él es uno de los productores del programa, va a estar siempre cerca de ustedes. Cualquier cosa que quieran decirme, comunicarme, háblenla con él. Pablo es el representante de la gerencia ante ustedes.

Yo me puse rojo. Me dio calor. Todos me miraron. Vivian también me miró. Ella me miraba y yo miraba de reojo al señor Quevedo, tratando de pescar algo, de entender qué había finalmente entre los dos. Tampoco eso servía demasiado. Igual yo tenía la batalla perdida, ya había renunciado. Poco a poco, más bien, había ido regresando a Emiliana. Hasta le dije para salir esta semana. ¿Qué tal si salimos un día? Ella me dijo está bien. ¿Qué tal el viernes? Emiliana me dijo ok.

Pensé en ella. Quizás estaba viendo la televisión en ese momento. Quizás me estaba viendo. Mi mamá me dijo que salí varias veces. Que me veía muy bien. Todo un galán, dijo. Como un pendejo, dijo más bien Randy. Vestido de pendejo y con cara de pendejo. Siempre detrás o a un lado del señor Quevedo. Eso me dijo.

Fue mi primera vez.

Nunca antes habían estado en la televisión. Uno tras otro repiten lo mismo, con distintas palabras, con gestos diversos, siempre pequeños, entrecortados; todos están con los nervios muy despiertos, en guardia. El libretista observa la pantalla con detenimiento. Tiene una hoja blanca y un bolígrafo barato frente a él. Pero no se le ocurre nada. No tiene ninguna anotación. Los concursantes están genuinamente asustados, eso le conviene al programa: transmiten verdad, le dan al show la legitimidad que necesita: son pobres verdaderos, damnificados reales. ¿Cuánto tardarán en acostumbrarse a las cámaras? Manuel Izquierdo piensa que, en menos de dos semanas, la casa será un infierno. Con la mirada, acompaña el lento movimiento de la cámara sobre cada rostro: *Amarelys, Nickmer, Fabiola, Yubirí, Edelvardo, Francisco, Vivian.* Por unos instantes, le cuesta trabajo recordar quién es quién, cómo ha intervenido cada una de esas vidas.

¿Cuál de ellos tiene un hijo desaparecido? ¿Quién es alcohólico? ¿Cuál de todos es el hijo o la hija bastarda de una familia adinerada? ¿O ya no existe la familia adinerada y ahora la madre es una vieja actriz del canal? ¿Alguno perdió ya la memoria? ¿Quién está enamorado de quién?

Cintya Jiménez es hábil. Se mueve con naturalidad, bromea, logra que los participantes se relajen. Controla el espectáculo con maestría. Sabe de antemano qué periodista puede ser peligroso, qué medio está financiado por la competencia, de quién hay que cuidarse. Cuando un reportero se levanta y, con cierta rapidez, encara a los concursante, espetándoles si no piensan que el canal se está aprovechando, todos quedan de pronto en silencio.

–¿No sienten que están comerciando con su tragedia?

El silencio es seco. Todos los participantes se miran entre sí, incómodos. Izquierdo, dos pisos más arriba, también se remueve inquieto sobre su silla. Cyntia Jiménez parece dudar. Los observa, esperando alguna reacción. Hasta que finalmente se adelanta hacia la mesa, camina despacio, frente a todos los concursantes, sin dejar de mirarlos. Sus zapatos suenan como gotas. Hasta que:

–¿Y entonces? –dice por fin Jiménez, con una naturalidad impactante–. ¿No van a contestar la pregunta? Digan lo que quieran, lo primero que se les venga a la cabeza.

La mayor de todos, *Amarelys,* toma el micrófono. Carraspea. Mira a todos los periodistas, hay algo de víctima en su rostro, una tristeza impotente detrás de sus ojos. Dice que ellos sienten, más bien, que es una gran oportunidad. Que le dan las gracias al canal. Que así como alguien puede pensar que la empresa quizás se aprovecha de ellos, que piensen también que ellos se están aprovechando del canal.

Deja el micrófono, apoya su espalda en la parte posterior de la silla. El resto de los participantes la mira, aprobando sus palabras. Dos de ellos, además, le tienden la mano.

Izquierdo conoce la escena. Él mismo la sugirió, escribió el libreto. Sabe que la han ensayado varias veces. Sospecha, incluso, que el reportero que ha hecho la pregunta está pagado por Quevedo. Es un momento ideal para terminar la rueda de prensa. Los participantes comienzan a levantarse. La pantalla se divide y muestra el exterior del canal. El autobús que espera. Los curiosos que comienzan a arremolinarse. ¿Quién no está buscando un hogar?

Todos queremos morir en casa. Estoy seguro de que mi madre también lo hubiera preferido. Habría sido una despedida más amable. Se la merecía. Irse del mundo mirando un instrumental quirúrgico o las manos de un paramédico, en una sala de emergencias, es espantoso, cruel. Todo eso lo pienso ahora. Aquella noche no pensaba en nada, no podía pensar. La quimioterapia había limpiado su médula pero, en la faena, también había arrasado el resto de su cuerpo. Cada día se sumaba un escollo, otra dificultad, una nueva complicación. Los valores volvían a mostrarse siempre alterados. Estaba asistida con una bomba de oxígeno. El monitor de la presión sonaba a cada rato. Detrás de la pequeña mascarilla, sus ojos diminutos seguían brillando, como queriendo hablarme. Yo había mandado ya a llamar a los médicos. Mamá sólo quería beber agua. Aunque se la habían prohibido, yo comencé a servirle pequeños sorbos, inclinando un vaso de plástico sobre sus labios. Ya estaba harta. No quería una jeringa más. No quería más dolor. Comencé a acariciarle el cabello, le dije que había sido una mujer extraordinaria, una madre estupenda, que mi hermana y yo la queríamos mucho. No se me ocurrió otra cosa. En medio de sorbos de agua y del sonido impertinente del monitor clínico, crujían esas frases, bajito. En un momento, cuando levanté nuevamente la mascarilla para darle agua, mi madre me susurró: «¿Por qué no me dejan morir en paz?»

Fue casi un grito, pero también fue casi una súplica. La medicina era una tortura. La vida era, en ese momento, una tortura. Ella prefería su fe.

Entraron los paramédicos, también llegó una enfermera. Tal vez ya era medianoche. O más. La unidad de cuidados intensivos estaba llena. Habían conseguido una cama en la sala de emergencia. La acompañé en el ascensor. La acompañé hasta donde pude, hasta donde me dejaron.

Cuando llamé a mi hermana por teléfono, escuché la música de la fiesta, al final, como un segundo fondo. Pude imaginarla algo aparte, en un jardín quizás, tratando de alejarse del bullicio de la pista de baile. Tal vez tenía una copa en la mano. Imaginé una noche sin estrellas, con nubes oscuras, aplastadas sobre la ciudad. La pieza de merengue, al fondo, seguía sonando. Eugenia ni siquiera saludó. Sabía que algo había pasado. Quise decírselo sin llorar, pero no pude. Se acabó. En ese instante, los dos supimos que estábamos solos, que también nosotros íbamos a morir. Uno sólo se gradúa de gente cuando pierde a su madre.

Con los años se ha vuelto medio maricón. Está pasado de sentimental. Eso me dijo el señor Quevedo. Y luego me dijo: cierra la puerta.

–No sé qué le pasa. Pero no es nuevo. Es algo que yo vengo notando desde hace tiempo. –Se deja caer en el sillón, detrás de su escritorio, con una mano le indica a Pablo que también tome asiento–. Está en crisis. Manuel Izquierdo ya no es el mismo –añade.

Hace un pausa, permanece unos segundos en silencio, mirándolo.

Yo creí que estaba pensando en otra cosa. Porque tenía la mirada ida, como vacía. Pero igual me estaba observando, o por lo menos tenía los ojos apuntados hacia mí. La vaina es conmigo, me dije yo inmediatamente.

–Por eso tú estás aquí, Pablito. Justamente por eso.

El muchacho trata de permanecer sereno pero no puede. Siente un cosquilleo en la punta de los dedos. Se afloja el nudo de la corbata.

–Por eso te puse a trabajar con Izquierdo. –Quevedo apoya los codos en el escritorio, se inclina hacia delante–. Por eso te pedí que te sentaras con él, que te metieras con él a intervenir los personajes, que aprendieras todo lo que pudieras sobre el oficio.

El tipo iba hablando y yo iba entendiendo todo poco a poco. Era como estar viendo un paisaje que primero está borroso pero luego se va poniendo clarito. El señor Quevedo me estaba confesando todo lo que había ocurrido en estos meses. Mientras se lo contaba a Randy, después, cuando lo fui a buscar a la Escuela y nos fugamos los dos a tomar cerveza en el restaurante chino, a él le fue pasando lo mismo. Igualito. Poco a poco fue entendiendo la jugada. Ese hijo de puta lo tenía todo planeado desde el principio, me dijo Randy. Sí. Yo creo que sí, le dije yo.

–No podemos arriesgarnos. Si Izquierdo sigue así, tú vas a ocupar su lugar.

Me quedé frío. Hasta sentí que mi lengua era una piedra de hielo.

–Yo te lo dije. Ésta es tu gran oportunidad, Pablito.

16

La noche del estreno los números son tímidos.

Llamé a Quevedo y su secretaria me dijo que estaba en una reunión con el Comité. Me pareció un mal síntoma. Luego le pregunté si habían llegado los números. Ella dudó, dejó una pausa abierta en la línea telefónica. Tuve que practicar el protocolo nacional de decirle «mi amor», «mamita», «mi niña», y luego me puse en plan de tú me conoces, yo soy el escritor del programa, no te hagas la dura, sólo quiero saber cómo nos fue anoche.

«No fue lo que esperaba el doctor Quevedo», dijo.

No me hizo falta nada más.

Ni siquiera fui al canal. Mientras me estaba bañando, llamaron por teléfono y le dejaron a mi mamá el mensaje. Mamá, antes de irse a su trabajo, me dejó un papel pegado en la nevera. Llamaron del canal: que vayas a la casa y esperes ahí. Eso decía. Sólo eso. Yo llamé de vuelta, Estela me dijo que el señor Quevedo estaba reunido, pero que antes de entrar a su reunión me había dejado ese mensaje. ¿Y qué se supone que voy a hacer en la casa?, pregunté. No lo sé, contestó ella. Y después: eso fue lo que te dejó dicho el señor Quevedo, agregó. Nada más. Yo ni me atreví a preguntarle por los números. Me pareció que estaba de mal humor.

Anoche fui con Randy y con los otros muchachos del taller a ver el programa en el restaurante chino. Emiliana también fue. Y se me sentó al lado. Yo no me lo podía creer. Randy dice que las mujeres son así. Cuando ven que uno ya no está loco por ellas, entonces ellas enloquecen. Emiliana no estaba tanto como enloquecida pero nunca antes la había visto yo tan simpática conmigo. Hasta de pronto le parecía divertido que yo trabajara en televisión. Ni siquiera nombró a César Vallejo. La mayoría no tenía idea de lo que íbamos a ver. Randy era el único que lo sabía. Pero igual todos estuvieron jodiendo durante la transmisión. Se burlaban, se reían. Hacían chistes. Repetían con distinta entonación las cosas que decían los participantes. Al principio, me piqué, comencé a molestarme; pero luego me lo fui vacilando mejor, me fui calmando. También estaba teniendo una recompensa: Emiliana se puso de mi lado, en medio de las bromas, ella me defendía. No demasiado, pero para mí fue muchísimo. Todo. En un momento me agarró la mano. Un poco después, apoyó su cuerpo en mi cuerpo. Sentí sus tetas rozando un pedazo de mi espalda y, de pronto, volvieron cantidad de sensaciones. Fue como si me destaparan. Como si ella, con ese movimiento pequeñito, me estuviera descorchando. Eso era todo lo que yo había soñado durante tanto tiempo.

Timidez es una palabra flexible, pero ahora parece tan dura. Como una súplica. Quevedo trata de aferrarse a los matices del lenguaje. ¿Adónde fue su cancha, su soltura, su seguridad, su arrogancia? Todo su poder queda de pronto reducido a un gesto blando. Los números estuvieron tímidos. Los números no se atrevieron a más. Tal vez, eso es lo que trata de decirle al Comité. Todos lo miran con la gravedad del caso. Sus promesas están hechas añicos sobre la larga mesa de reuniones. El programa apenas sacó un punto más que el promedio que, en ese horario, mantiene el canal desde hace meses.

–La pantalla está congelada –justifica.

El *rating* es un dios perverso e implacable. No conoce la piedad. Si te bendice, entrarás al paraíso. Si te castiga, prepárate. Serás nadie. Una y mil veces nadie. Cuando *El sueño de Isabel* fracasó, establecimos un récord difícil de igualar. Diecisiete veces cambiaron de escritor. Nunca antes había pasado algo así en una telenovela. A mí me pusieron y me quitaron en dos oportunidades. El canal estaba desesperado.

–Apenas es la primera noche. Ayer, además, la competencia puso una película. Para jodernos –esgrime Quevedo.

Cuando yo empecé, las mediciones eran precarias y estaban basadas en encuestas en la calle y sondeos telefónicos. Cada canal, al final, terminó fundando su propia empresa de mediciones, no había manera de saber quién decía la verdad. Hubo entonces el gran pacto nacional, se contrató a una sola empresa externa y, desde ese momento, tanto las televisoras como los anunciantes se rigen por esas únicas cifras.

–Hay que esperar una semana, por lo menos, para ver cómo se comporta la audiencia. Yo estoy seguro que esta noche mejoramos.

Ahora todo es más sofisticado. Hay, incluso, mediciones de audiencia minuto a minuto. Nunca he podido olvidar la tarde en que me citaron al canal y me pidieron que matara a la familia Domínguez. No recuerdo cómo se llamaba la telenovela. El Comité me mandó a llamar, me ordenó que expulsara a los Domínguez de la historia. Pregunté por qué y me sacaron los números: diversas hojas con cuadros, gráficas, porcentajes. En el seguimiento cuadro a cuadro habían detectado una constante: «Cada vez que aparecen los Domínguez, hay una migración de dos o tres puntos. La gente se muda a otro canal.» Ése era el diagnóstico. Ése fue el dictamen sagrado. «Los Domínguez no gustan: sácalos.»

Desde hace tiempo, Randy estaba con la insistencia. Quiero ir, quiero ir, llévame. No lo decía así, pero así era como yo lo recordaba. Como un niñito que le jala la manga de la camisa a un amigo, pidiéndole algo. Randy quería ir a una grabación. Cuando salimos de la clase, me lo recordó. Estábamos en el pasillo Randy, Emiliana y yo. Entonces ella se sumó, dijo que también, que cómo no, que cuándo íbamos a ir, que. Me encantaría acompañarte un día, Pablo, me dijo. Y yo sin saber cómo salir del brete. ¿Por qué no vamos mañana?, dijo Randy. ¿En serio? ¿Podríamos? Sería fantástico, dijo Emiliana. ¿Por qué no vamos mañana? Yo dije que sí. Sí y sí, repetí.

Fuimos y los metí en la unidad móvil. Primero entré solo, le expliqué a Ernesto, el director. Él me dijo que no había rollo. Todos los monitores estaban encendidos. Cada uno tenía una imagen distinta, de las diferentes cámaras que estaban grabando a los distintos concursantes. Había unos en la cocina, hablando. Otro se estaba bañando en la piscina. Dos de los hombres estaban en el cuarto. Randy y Emiliana entraron y se quedaron impresionados. Ahí los dejé mientras fui a ver a la coordinadora de piso. No tenía nada que decirle, en verdad. No tenía por qué verla. Pero quería darme importancia frente a Randy y a Emiliana. Quería que sintieran que yo tenía trabajo, que hacía algo, que era alguien más o menos importante.

También tenía la ilusión de ver a Vivian. Quizás podía lograr que nos viéramos fuera del alcance de las cámaras por un momento. La idea de estar, de alguna manera, con las dos, tan cerca y tan lejos, rodeados de cámaras, como si estuviéramos en un campo minado, me puso eléctrico. Últimamente había estado soñando con las dos. De pronto, estaban ahí, metiéndose ambas en mis noches. Hace unos días, creo que fue un jueves, soñé que los tres estábamos juntos. Era en una casa que desconozco, en la montaña. En una sala grande, con una alfombra gris. De noche. Los tres estábamos desnudos. Nos besábamos. Nos tocábamos. Me quedé muy caliente. Y también muy sorprendido. ¿Qué clase de tipo soy? ¿Qué es lo que tengo en la cabeza?

Hoy, mientras me estaba bañando, tuve una erección. Es de los sucesos que agradezco porque me hacen sentirme vivo, más vivo. Tener una erección inesperada, ahora, me resulta una maravilla, un regalo de la naturaleza. Pasé gran parte de la mañana releyendo lo que he ido escribiendo en este archivo. Esperaba que me llamaran del canal pero no ocurrió. El silencio es otro síntoma. Decidí darme una ducha. Mientras dejaba que el agua chorreara por mi cuerpo pensé en Beatriz. Últimamente, pienso demasiado en ella. De pronto la vi. Vino envuelta en un relámpago y se estampó sobre la pared. Beatriz desnuda, bañándose conmigo, en una regadera de un hotel de hace quince años. Nada de eso existe. Quizás, de hecho, ni exista ese hotel. Quizás en ese lugar hay ahora una farmacia de tres pisos. Lo único que había logrado sobrevivir era justamente esa imagen, ahí, frente a mí. Beatriz desnuda, mojada, brillante, sonriendo. Desde que la escribí, ya no se va. Desde que por fin la pronuncié, ya no me deja quieto. Soy su rehén.

Los sueños son una especie de poesía involuntaria. La frase es de un poeta que se llama Jean Paul Ritcher. Es alemán. Al menos eso dijo el profesor en la clase. Los sueños son una especie de poesía involuntaria. El profesor lo citó y se puso a hablar de los símbolos y de no sé qué pendejada onírica. Yo recordé mi sueño con Vivian y con Emiliana y pensé que mi sueño más que poema parecía película porno.

¿El inconsciente también cambia? ¿Acaso el inconsciente también madura?

A la segunda transmisión tampoco le va mejor. Todo lo contrario: baja punto y medio. Al tercer día, el programa baja un punto más. Quevedo acota que, esa misma noche, a esa misma hora, un canal de cable ofrecía el juego final de la liga de béisbol norteamericana: los Red Sox de Boston contra los Yankees de New York.

–Es un clásico imbatible. Contra eso nadie puede.

Pero la cuarta emisión del programa es una catástrofe. Otro punto y medio menos. Quevedo parece estar sometido a un proceso de degradación física. Luce más delgado, tiene la piel opaca, lleva una mueca agria tatuada en el rostro, camina apurado, no saluda, ha perdido el humor. Internamente, también el show comienza a ser un infierno particular. Un mal *rating* es como una plaga que nadie desea tener cerca. Todo el mundo se mueve, se queja, protesta. El mal humor se multiplica. La culpa va rotando: primero dicen que la dirección está fatal, que el director nunca ha entendido la naturaleza del programa. ¡Cambien al director! Lo mismo puede pasar con el luminito o con el sonidista. Con el productor general o con el productor ejecutivo. ¡Sáquenlos ya! ¡Busquen a otros! El desfile de sospechosos puede ser infinito: la culpa es del departamento de promoción, no saben hacer su trabajo. La culpa es de la gente de Programación: el programa jamás ha debido estar en ese horario. También pasan al paredón los responsables del *casting* y, por supuesto, los propios concursantes. Finalmente, lo inevitable llega: a las diez de la noche del jueves, suena el teléfono. Izquierdo está sentado frente a la computadora, ensimismado, frente a una página. No escribe, no lee. Parece un insecto, borracho ante la luz de blanca de la máquina. Escucha repicar el teléfono varias veces. Luego, un silencio, un descanso breve, porque el teléfono vuelve a sonar, insiste. Saben que se encuentra ahí. Estira la mano y atiende.

–¡Es una mierda! ¡Te lo digo francamente, Manuel! ¡El trabajo que hiciste es una mierda!

Me quedé en silencio. Podía imaginarlo tan claramente, aún en su oficina, con unas ojeras profundas, los ojos rojos de angustia. Se sentía traicionado, pero le costaba aceptar que en realidad estaba siendo traicionado por el público, por la audiencia a la que tanto decía conocer. Y lo que más le dolía era fracasar estrepitosamente a esa edad, malgastar de esa manera su segunda oportunidad. La última. No iba a salir por la puerta grande, lo iban a despachar con una inmensa patada en el culo por la puerta de atrás. Llamaba porque no sabía qué hacer con la rabia, porque quería, de cualquier forma, salvar su orgullo. «Debí pensarlo desde el principio», me dijo. Y comenzó con un reclamo inmenso. Habló de mi actitud, de mi «mala vibra», de mi falta de fe, de mi cinismo... «Todo eso está ahí, Manuel. ¿Te das cuenta?»

–En verdad, jamás creíste en este proyecto. ¡Y ahí están los resultados, coño! –Quevedo da unos pasos por la oficina, entre cada pausa, aprieta mucho los dientes, como si la mandíbula le doliera–. ¡Ahora están haciendo chistes conmigo en los pasillos! ¿Sabes lo que dicen, los hijos de puta! Dicen que la semana que viene yo voy a entrar a concursar en la casa. Dicen que yo también voy a tener que buscar un hogar.

Izquierdo trata de contener un breve ataque de risa y profiere tan sólo una breve tos.

–¡Y encima te vas a reír, hijo de puta!

–No me da risa. Sólo tosí. –Duda un segundo, intenta un tono más cercano, conciliador–. Tienes que calmarte, Rafael.

–¡No me calmo nada! Acabo de salir de una reunión. Si la semana que viene esto no cambia, nos sacan del aire. ¿Sabes lo que eso significa?

–Significa que estamos jodidos. Esto no va a cambiar, Rafael.

Entonces fue él quien se quedó en silencio. Lo imaginé queriendo morder el auricular. Muy tenso. Con todos los músculos del cuello crispados, retorcidos. Apreté un poco el teléfono contra mi oreja. No sé por qué hice eso. Era como si quisiera oír su respiración. «¿Eso es todo lo que tienes que decir?» Su voz me sonó hueca. Sentí que salía desde el fondo de su estómago, que me hablaba desde su duodeno. Le dije que sí, que lo sentía, que era todo. No sé quién colgó primero. Yo me quedé un rato así, como con una rara paz. Tenía en el monitor de la computadora la foto donde salimos Beatriz y yo, detenidos, esposados. Creo que después de los cincuenta uno debe empezar a decidir qué cosas le importan, qué quiere hacer con su vida, o al menos, con el resto de su vida.

¿Por qué yo? No lo pregunté pero puse la cara, tenía cara de por qué yo. A veces uno no necesita pronunciar las palabras: ya las trae encima, las trae puestas. Yo arrugué la cara y de seguro se me salió la pregunta solita. ¿Por qué yo? El señor Quevedo me dijo que yo era el indicado. Que él tenía otras cosas importantes que hacer. Que tenía una reunión urgente con todos los patrocinadores. Que no preguntara tanto, carajo. Que fuera a la casa y hablara con los concursante y ya. Por eso fui a la casa, o, más bien, por eso tuve que ir. Primero hablé con el director y con Carolina, la productora general. Están ahí, reunidos, esperando, me dijo. Un poco antes, al verme entrar, me preguntó: ¿no vino Quevedo? Luego me aclaró que en realidad estaban esperando al señor Quevedo. Desde la mañana habían parado las grabaciones y habían pedido una reunión con alguien de la gerencia. Empezaban mal: ese alguien de la gerencia era yo.

Todos están sentados en la sala, tomando café. Hay un raro clima de familiaridad en el ambiente. Yubirí viste unos shores y una franela verde. Está sentada en el sofá, junto a Fabiola. Fabiola está descalza y se está terminando de pintar las uñas de los pies. Nickmer está casi hundido sobre un pequeño vaso plástico, dando sonoros sorbos a su café. Se ayuda balanceándose un poco en la mecedora de mimbre que está en una esquina, junto a la biblioteca. Edelvardo y Francisco permanecen en el otro sofá. Más que sentados, parecen estar aplastados en el mueble. Sus cuerpos indican que llevan horas aguardando, que están aburridos, de pésimo humor. Edelvardo viste un mono deportivo que le queda pequeño. Sus manos y sus tobillos sobresalen. Francisco se rasca la nariz. Vivian está sentada sobre sus piernas cruzadas. Parece que se acaba de despertar. Todavía está envuelta en el aroma de las sábanas. No se ha bañado. Tampoco está peinada. Amarelys viene llegando de la cocina con un termo y una ristra de vasos plásticos. Apenas llevan cinco días bajo el mismo techo pero ya casi parecen una familia. Ya hay simpatías y pequeños odios, rumores, malentendidos, competencias soterradas. La convivencia es un procedimiento feroz. Aun en las condiciones más adversas, logra crear lazos insospechados, pone a fluir afectos. Incluso en medio de la violencia más íntima y brutal, de pronto aparece la confianza, un tipo de confianza singular, la urgente desesperación de no estar solos. Lo mismo pasa en las cárceles.

Vivian fue la primera que habló. Sin sonreír. Tampoco me saludó de forma especial, aunque sí dejó claro ante el grupo que me conocía, que sabía quién era, que podía hablarme con cierta autoridad. Dijo que ella tenía muchas amigas actrices, que tenía gente en el canal. He oído cosas, dijo. Nosotros sabemos lo que está pasando. Todos los demás asintieron. Se habían enterado de que el programa no iba bien y estaban preocupados por su futuro.

–Alguien de adentro me dijo que estaban pensando en cortar el programa –exclama Vivian, sin anestesia y mirando fijamente a Pablo–. ¿Eso es cierto?

Como si fuera un mismo movimiento de cámara, todas las pupilas de todos los otros concursantes también giran y se clavan en el joven Manzanares. Ahora sí parecen una familia unida, compacta. En cinco días, también se han puesto apodos. A Vivian le dicen «La diva», en honor a sus pretensiones profesionales, a su incipiente carrera actoral. Entre las mujeres, le han colgado a Edelvardo el mote de «Ajolín», a cuenta de su persistente mal olor. Los seres humanos parecen estar condenados a establecer siempre algún tipo de intimidad. Aunque no lo deseen. Aunque lo eviten.

Todos los ojos se clavaron en mí. Yo les dije que no, que no estaba planteado cerrar el programa, nada que ver, ¿de dónde sacaron eso? Ésa era mi instrucción, eso fue lo que me dijo el señor Quevedo que tenía que decir. Creo que era la primera vez que mentía así en mi vida, la primera vez que mentía delante de bastante gente y en plan grande, sabiendo que estaba proponiendo un gran engaño. Vivian me preguntó cómo iba el *rating* y yo le dije que iba bien, que ciertamente no era lo que en canal esperaba, pero que no estábamos perdiendo. El señor Quevedo está muy contento, le dije. De hecho, ya está negociando la venta del programa. Parece que lo quieren pasar en Panamá, en Puerto Rico, en Ecuador, creo que también en Colombia. También les dije eso. Todo era puro invento, era parte del guión que me había dado el propio señor Quevedo. No te van a creer, me aseguró, pero les va a encantar escuchar eso.

Les di una guía para el programa del domingo en la noche. Era nuestra última oportunidad, nuestro último disparo. Eso no se lo dije, por supuesto. El señor Quevedo y yo preparamos una edición especial del programa. Trabajamos en su casa. Ahí fue cuando me confirmó que Izquierdo estaba fuera del proyecto.

–Necesitamos que este domingo pase de todo. Sexo, violencia, llanto, drogas... Vamos a mostrarle a la audiencia que nosotros sí tenemos historia –dice Quevedo.

Apenas se inicia el programa, todos los participantes comienzan a quitarse el apuntador electrónico.

Tenía el presentimiento de que algo así pasaría.

Lo estuvimos discutiendo durante dos días. Tampoco es que queríamos improvisar.

Cuando leí la noticia, comencé a reírme. Era inevitable.

Era inevitable.

Quevedo alza el teléfono y trata de comunicarse con Carolina.

Emiliana me preguntó si eso estaba en el guión, si yo lo había escrito.

Esto no es parte del programa. Esto es en serio. Nosotros queremos decir la verdad.

Quevedo está gritando solo, mientras marca el número de Pablo.

Nosotros queremos esta noche hacer una denuncia.

La foto del periódico fue tomada sobre la pantalla.

Están los siete.

¿Estás viendo el programa?

Emiliana estaba entusiasmada. Aplaudía. Decía que yo era un genio.

Los siete en la casa. Como huérfanos.

Estamos en vivo y directo. Lo único que queremos es que el público sepa toda la verdad.

¿Cómo puede estar pasando esto?

Fue una celada. Se presentaron unos familiares y sometieron al director y a los técnicos.

¿Acaso nadie puede cortar esto, apagarlos, sacarlos del aire?

No. Fue peor que eso. Fue como ver un derrumbe.

Yo no soy un alcohólico El señor Quevedo estaba histérico al teléfono La cámara se mantiene estática y todos permanecen casi inmutables delante de ella *Yo no perdí a mi mujer y a mi hija en las inundaciones* No puede creerlo dice y se sienta en una esquina de la cama *Mi mamá no es una actriz de nada* Yo sabía que algo así iba a pasar Emiliana de repente dio la vuelta y me besó *Todo esto es una farsa Una mentira pues* Me contaron que hubo casi veinte mil mensajes de twitter en los primeros minutos La gente empezó a cambiarse de canal *Yo no tengo dos hijos* Ella le bajó el volumen al televisor y se quitó la ropa Quevedo mira la luz del teléfono y sabe que lo llama el presidente del canal *Mi esposa no ha muerto* ¿Qué podíamos hacer?

Muestran sus contratos hablan de los cursos de dirección enseñan los libretos destinados a intervenir la historia *¿Qué podíamos hacer?* Emiliana reía Estaba orgullosa Feliz Uno de ellos habló de un abogado *Se aprovechan de uno por la necesidad porque uno es pobre* Yo le dije que sí, que todo era a propósito Por fin sus pezones bailaban delante de mis ojos Denuncia pública Ahora sólo tiene ganas de llorar Ve su futuro desplomarse en la pantalla *Es lo único que tiene uno* Nunca en mi vida vi algo tan dramático Tan divertido Es una ficción Es lo que ofrecemos *La esperanza*

Me volví a levantar antes de las cinco. Sentí que las luces del reloj estaban menos verdes. Pensé en las baterías: todo se gasta. Me subí en la báscula y ahí estaban, no hay manera de que desaparezcan esos tres kilos de más. No son míos. No completamente. No todavía.

Me sorprendió la llamada, así, tan temprano, además. Yo apenas estaba cepillándome los dientes cuando mamá tocó la puerta y, de una vez, entró con el teléfono en la mano. Es del canal, dijo. Yo no dije nada, sólo escupí la pasta de dientes. Hola, Pablo, buenos días. Así me saludó. De lo más serio. Era el señor Salcedo, el vicepresidente ejecutivo del canal. Yo sólo lo he visto una vez en mi vida. Y de lejitos. Queremos reunirnos contigo hoy, dijo. Por supuesto, dije yo. Y pregunté cuándo. Y él me dijo: cuando llegues. Te estamos esperando. No me gustó que hablara en plural. Es como si él solito, de paso, fuera también muchos otros.

En el quinto piso hay una elegancia que no se parece al resto del canal. Inevitablemente, Pablo siente que no lleva la ropa apropiada. Pero la televisión es demasiado rápida, no da tiempo ni siquiera para el remordimiento. Antes de que se sienta incómodo, ya está delante de Salcedo. Es un hombre grueso, de aspecto apacible. Está reunido con otros altos ejecutivos del canal. Todos saludan al joven de manera cálida, muy cordial. Por unos instantes, Pablo se siente en otro lugar, en otro trabajo. No parece haber angustias, prisas, presiones. Se mueven, miran, hablan, como si el público no existiera. Nadie los ve.

–Sabemos que estás al tanto del problema, que has estado muy cerca de todo esto.

Pablo mueve afirmativamente la cabeza. Siente que la saliva es un nudo áspero, arrastrándose hacia el fondo de su lengua.

La memoria se expresa en idiomas muy distintos. Sabía adónde iba, sabía cómo llegar, pero no podía recordar la dirección exacta. Lo único que había guardado dentro de mí eran dibujos, imágenes, el croquis borroso de una ciudad que ya no sabía si seguía siendo la misma. Apenas me levanté, hice una apuesta con mi miedo: si el lugar todavía estaba en pie, si Beatriz seguía viviendo ahí, lo enfrentaría. Mi plan era ir, volver más bien, después de tantos años, confirmar que esa calle era aún esa calle, que la casa vieja con un árbol de mango enfrente todavía era la misma, detenerme, tocar el timbre y esperar. Si quien abría la puerta era Beatriz, si ella aún vivía ahí, entonces hablaríamos, trataríamos de aclarar nuestra historia hacia atrás y hacia adelante. Cuando el taxista me preguntó «¿Adónde vamos?», no supe muy bien qué responderle. ¿Adónde estaba yendo, en realidad?

–No vamos a sacar el programa del aire. El *rating* del domingo fue estupendo. Subimos cinco puntos de golpe. El ritmo interno, además, fue ascendente. El último cuarto de hora terminamos en doce cinco. Pensamos que hay que seguir por esa línea.

–¿Por cuál línea? No entiendo. –El joven manosea la perplejidad de encontrarse solo en esa reunión.

Salcedo mira a los otros ejecutivos. No comparten ninguna mueca socarrona, no hay un dejo de complicidad. Nada parece arrugarse en su ánimo. Hablan del programa como si no fuera suyo.

–Lo que ocurrió anoche fue extraordinario. Descubrimos que ése es el programa que tenemos que hacer.

Pablo permanece estupefacto. Trata de disimular pero el asombro es más fuerte, más hábil. Salcedo sonríe de manera suave, casi protectora. Se explica:

–El canal no puede hacerse responsable de los errores personales de Rafael Quevedo.

Le dije: ponte en mis zapatos. Imagínatelo. Sólo por un segundo. Yo ahí, con esa gente, ellos diciéndome eso, yo sin decirles nada, ¿qué podía decir?, y de pronto ¡zuácata!, me lanzan esa bomba. Randy me miraba seriamente. Yo estaba tan sorprendido que ni siquiera le conté lo de anoche con Emiliana. Yo sólo estaba pendiente de lo que había pasado en el canal. Los tipos se sentaron, le conté. Se sentaron, me hablaron, dijeron vamos a seguir adelante. Todo lo que está pasando lo vamos a incorporar al programa. Ésa es su idea. Necesitamos tu cooperación. Tú eres el que mejor conoce cómo funciona este programa por dentro. Así mismo me dijeron. Necesitamos que te quedes. ¿Y qué pasa con el escritor?, me preguntó Randy. ¿Qué piensan hacer con el escritor?

–El canal ha decidido prescindir de los servicios de Manuel Izquierdo. Hoy mismo vamos a rescindirle su contrato –dice Salcedo, sin soltar jamás sus sonrisa cálida.

En las noticias de la radio estaban comentando el programa. El taxista subió por la avenida que tiene los árboles en el medio. «Al final, vamos a tomar a la derecha», le había dicho yo. Íbamos siguiendo el mapa que yo tenía colgado entre oreja y oreja. Dos periodistas hablaban de lo ocurrido la noche anterior. Entrevistaron a un especialista en farándula, quien se mostró indignado ante todas las denuncias realizadas por los concursantes. «Esto es un delito», expresó. Hablaba de forma altisonante. Mientras los periodistas trataban de ubicar a algún funcionario público, en plan de averiguar si podían o no plantearse acciones penales en contra de la televisora, el taxista habló de los otros damnificados, de los que todavía estaban viviendo en carpas o en refugios, en cuarteles militares, agrupados incómodamente en algunos hoteles.

«Ésos ni siquiera salen en televisión», me dijo.

Los ejecutivos querían que yo siguiera dando la cara frente a los concursantes. Después del señor Quevedo y del libretista, tú eres la cara que ellos ubican más fácilmente, la que reconocen. Me dijeron que necesitaban que hubiera continuidad en el proceso. Me propusieron trabajar de manera directa con el nuevo coordinador que el canal iba a designar. Que me iban a dar un bono especial, que éste podía ser el inicio de una gran carrera dentro el canal, también me dijeron.

Piensa que es una gran oportunidad.

Lo dijeron sin estirar la vocal. Pero yo me acordé de mi madre. También me acordé del señor Quevedo. Y de Izquierdo. Desde que llegué al canal sólo estoy viviendo grandes oportunidades. Me hubiera gustado decir eso, pero no lo dije.

Querían que fuera a la casa, que me reuniera con todos. De entrada, queremos que los felicites. Que los felicites por ser ellos mismos. Así mismo me dijeron. Y luego debía contarles todo, explicar que el canal aceptaba sus responsabilidades pero que, de ahora en adelante, el programa seguiría con ellos, sin farsas, sin mentiras, con sus vidas. Como ellos quisieran. El vicepresidente ejecutivo me contó que estaban negociando con las autoridades y que el propio gobierno central se había mostrado interesado en participar en el programa. Ya había toda una mesa de negociaciones para que, de pronto, el próximo domingo en la noche, el propio presidente de la República llamara por teléfono a la casa y hablara con los concursantes. Eso lo propuso el propio presidente, me aseguro el señor Salcedo. Ya verás. Esto va a ser un éxito.

El joven pregunta qué va a pasar con Quevedo. En realidad, dice «señor Quevedo», es una fórmula que usan sus subordinados. Los ejecutivos intercambian de nuevo una mirada casi condescendiente. Salcedo vuelve a tomar la palabra. Le explica que va a salir del organigrama del canal pero que seguirá trabajando en el grupo de empresas.

–Quizás lo manden a Miami o a Panamá, donde el holding tiene otros proyectos.

Vuelven a quedar todos unos segundos en silencio. Los ejecutivos repiten un ademán de despedida, pero:

–Estaba pensando –asoma de pronto Pablo–. ¿No sería mejor que él también participara en el programa?

Los cuatro directivos lo miran sin comprender qué quiere decir. Pablo habla con nerviosismo, con temor, pero también con cierta excitación. Se le acaba de ocurrir. Se siente inspirado. Está pensando en términos de la industria, ya como un hombre de televisión.

–Si el canal mismo lo pusiera a la orden de las autoridades. Si transmitiéramos eso, además. Si viéramos, ahí, durante el programa, cómo la policía va y detiene al señor Quevedo, por ejemplo. No le va a pasar nada. Todo puede estar arreglado. Pero sería un tremendo espectáculo.

Por unos segundos, la sala de reunión queda en silencio. El joven Manzanares casi se arrepiente pero, desde el fondo, el vicepresidente de Programación señala que la idea es excelente.

–Después, incluso podemos llevarlo a la casa para que los mismos concursantes lo juzguen, ¿acaso no sería más dramático? ¿No sería mejor?

La calle seguía siendo la misma. La casa seguía en pie. Habían cortado el árbol de mango, pero ahí permanecía su tronco, una mitad de madera apuntando tercamente hacia el cielo. Le pedí al taxista que me esperara. «Quizás regreso inmediatamente», le dije. Empujé la pequeña reja y avancé por el pasillo de losetas, subí dos escalones y me detuve en el rellano, frente a la vieja puerta. Sentí que incluso olía igual, a una humedad llena de yerbas. Dudé. ¿Qué estaba haciendo? ¿Qué sentido tenía estar ahí?

Quevedo abre la puerta que da a la calle y se encuentra con cuatro efectivos de la policía. Uno de ellos, el único que no está uniformado, le extiende una orden de aprehensión. Debe acompañarlos. Quevedo parece aceptar todo con una calmada resignación. Repara en las cámaras, en las tres cámaras que lo están observando.

Me reuní en privado, en la oficina de la producción, con cada uno de los participantes. Quería explicarles bien cómo estaban las cosas, qué es lo que queríamos hacer. Sin mentiras, les dije. Aunque no empecemos de nuevo es como si empezáramos de nuevo, algo así también les dije. Dejé a Vivian de última. Desde que entró, yo sabía que todo había cambiado. Me dijo hola, bello, ya me enteré, qué bueno que ahora tú te vas a encargar de todo, dijo. Y me dio un beso, demasiado cerca de la boca. Y me miró con una sonrisota. Con ganas, también.

Toqué el timbre. Pasaron unos segundos, no sé cuántos, ni siquiera sé si muchos o pocos, antes de que escuchara unos pasos breves, apremiados, avanzando hacia la puerta. La bisagra crujió. La puerta se fue abriendo lentamente hasta dejar aparecer a un niño. Debía tener diez u once años. Flaco, un poco pálido. Me miró con susto. Yo me fui agachando hasta quedar en cuclillas frente a él. «¿Quién eres tú?», me preguntó.

Nada importa demasiado. Todo es prescindible. Lo único realmente necesario es que la pantalla se mantenga siempre encendida. Hace un rato me llamó Manzanares. Ahora es el productor de una nueva serie dramática.

«Tengo algo para ti», exclamó, lleno de entusiasmo. «Te voy a dar una gran oportunidad.»

Le dije que sí. Cuando quieras. Muchas gracias.

Mi hijo está sentado en el sofá, mirando la televisión. Yo ya sé que sólo se puede escribir a la velocidad de la muerte. Afuera llueve. Afuera siempre está lloviendo.